Helmer, Edu

Prinz Rosa S

Helmer, Eduard

Prinz Rosa Stramin

Inktank publishing, 2018

www.inktank-publishing.com

ISBN/EAN: 9783750136571

Prinz Rosa-Stramin

von

Dr. Eduard Helmer.

Erster Band.

Kassel,
in Commission der J. Luckhardtschen Hofbuch-
handlung.

1834.

Erstes Kapitel.

Rosa-Stramin! sing mir ein Lied!
Mit Jodeln oder ohne Jodeln?
Mit Jodeln.

»Laduih! Laduih! Laduih! Laduih!
Die Sonn' ist aufgegangen, Juchhe!
Wo bleibst du mein Bu?
Wir treiben das Vieh zur grasigen Höh'
Und singen dazu.
Im Thale klingt lustiger Hörnerton,
Es wartet am Berge die Sennrin schon
Wo bleibst du mein Bu?
Laduih! Laduidu!»

O jodele mir noch mehr, Rosa-Stramin!

1*

ich hör' es so gern, und hab' es so lange nicht gehört, und es ist so hübsch heute morgen, und rings um mich her ist Alles so frisch und so lustig, als wenn lauter Frieden in der Welt wäre, und lauter Glück, und lauter Liebe!

»Als auf die Sonne gegangen, juchhe!
In schöner Pracht,
Und hat vergolbet die Alpenhöh,
Hab i dein gedacht.
Wann wird auch meine Sonne, mein Schatzerl, aufgehn?
Da seh i die Sennrin am Berge stehn.
Bist schon aufgewacht?
Laduih! Laduihda!
Juchhe! mein Madel wir sind a so froh!
Und die Welt ist so schön,
Wenn die Bubn und die Dirnel mit einander so
Zu Berge gehn,
Und die Hörner blasen den Hochzeitsgesang,
Und die Heerden läuten zum Kirchengang
Auf die Alpenhöh'n!«

Rosa=Stramin!

»Was befehlen Sie Herr Doktor?«

— Ei so wollt ich, daß — ja wohl Herr Probator! Die Morgenstunde hat Gold im Munde!

Zweites Kapitel.

Wer verdarb mir wieder dieses Kapitel? Der Probator Lamlius trägt allein die Schuld, obgleich ich selbst auch offenbar zu viel riskirt habe.

Wär' ich nicht gleich mit dem ersten Kapitel, wie mit der Thüre ins Haus gefallen, sondern hätt' ich eine ordentliche Vorrede geschrieben, wie's einem soliden Bücherschreiber geziemt, so hätt' ich mich darin bequem ärgern können darüber, daß ich den Prinz Rosa=Stramin nun schon zehnmal angefangen habe, und mir allemal was dazwischen gefahren ist. Dann wäre Lamlius in die Vorrede hineingeregnet, statt in das erste Kapitel, und ich hätte ihn bequem benutzen können. Nun er mir aber in das erste Kapitel hineingerieth, wo ich ganz andere Dinge zu erzählen gedachte, hat er um dieses mich und den Leser schändlich geprellt. Nämlich ich schreibe diese gegenwärtigen Zeilen an einem schönen Frühlingsmorgen, während ich zu Kassel auf einer Anhöhe vor dem Frankfurter Thore in der Laube eines öffentlichen Gartens sitze, wohin um diese Tageszeit Niemand zu gehen pflegt, und wo ich den Rosa=Stramin glücklich anzufangen gedachte. Die Natur hängt voll Blüthen, voll Gesang und Purpurschein. Die Kellner putzen um mich her mit großen Schwämmen die Tische ab. Wie ich eben im besten Schreiben bin, kommt der Probator Lamlius daher und fragt: »Sie dichten wohl schon so frühe, Herr Doktor? Sind vielleicht noch nüchtern?« Ich sagte: jawohl, Herr Probator, die Morgenstunde hat Gold im Munde, und bei nüchternem Magen gehts am Besten« Aber ich habe mich über diese Philisterei so alterirt, daß ich nothwendig das erste Kapitel vor dem Knie abbrechen mußte, habe jedoch mein Unglück der Welt nicht vorenthalten wollen. Es müßte eigentlich von Polizei wegen verboten werden, an schönen Frühlingsmorgen die Lamlii heraus zu lassen.

Da der Leser nun doch einmal in meine Werkstätte hineingeguckt hat, so mag er auch noch mehr sehen.

Ich habe einen goldenen, heiligen, singenden Frühlingsmorgen vor mir. Die Sonne ist schon vor einer Stunde aufgegangen, obgleich der Leser noch im heißen Federbett steckt.

Die Gegend glüht in einer rosigen feenartigen Beleuchtung, und hat ein so kindliches Ansehen, der Aether ist so klar, so glockenrein, so lauter bis an die fernsten Gebirge, daß es mir ist, als dürft' ich der Natur, weil ich so frühe anbetend vor ihr stehe, einmal recht tief in die seelenvollen Augen blicken. — Alles lärmt und jubelt um mich her: der fragende helle Ton der Drossel, das ferne hohe Wirbeln der Lerche, das scharfe Geschrei vorüberrauschender Schwalben, das nahe Zilpen kluger Spatzen, entferntes Hahnengekrähe und Hundegebell. Und wie sich die röthlichen Aecker, an denen ferne gebückte Menschen stehen und arbeiten, abwechselnd mit dunkelgrünen und gelben Vierecks und dem reifenden Hellgrün der jungen Saat, gleich ausgespannten Tüchern vor mir ausdehnen; wie sich der Fluß träumerisch und mit tanzenden Silberblitzen an dem Berge hin in das Thal schmiegt, wo weiße Häuschen wie Punkte im Sonnenscheine leuchten, und wie die glänzende Taube im azurnen Aether glänzend sich schauckelt und wiegt, und wie mit blühenden Kastanien besetzt, die lebendige Heerstraße sich vor mir hindehnt, und über die Berge läuft, und mit sich fortreißt die vergebliche Sehnsucht nach den Alpen und nach dem glücklichen Italien; wie nun da unten die Frachtwagen knarren, und die Pferde klingeln, und die Peitsche knallt, und das rohfröhliche Gespräch der Fuhrleute heraufdringt, und die Steinklopfer gekrümmt an der Straße stehen, und ihr Hammerschlag so viel später zum Ohre dringt, als er fällt, und wie das Hirtenhorn den langen, fröhlichen Ton erschallen läßt, und wie die Kuh zögernd aus dem Stalle tritt, sich umschaut mit dem großen schönen dummen Auge, und mit Anstrengung brüllt, — da läutet plötzlich die Glocke des nahen Dorfes einförmig, und singend und summend, und doch so lieblich, so erinnernd, so gemüthlich, als sollte in der Natur die Frühmesse beginnen. In der Ferne ruft der prophetische Kuckuck, und ein Schuß tönt weithin verhallend und müde durch die Gebirge. Links unten liegt die düstere Aue mit großartigen Baumgruppen und üppigen gewölbten Wipfeln, und rechts auf einem Hintergrund von Waldwogen und vollem weichem Baumschlage das Wilhelmshöher Schloß, und weiter hinauf die Löwenburg, halb versteckt und bescheiden, wie eine an den Busen von Wilhelmshöhe gesteckte verwelkte Blume liebender Erinnerung. Neben mir blüht die ostereierfarbige Levkoje, der orangenfarbige Lack und der goldregnende Bohnenbaum, und wenn jetzt die Schwarzamsel dort auf dem Apfelbaume den hellen Metallton durch die Lüfte zieht, und auf- und niedertauchende Schwalben im Schnellfluge sich kreuzen, und jubelnd in dem rosigen Lichtmeer baden, und im duftigen Aether bis fernhin alles singt und summt und läutet und bellt und jubelt und lärmt, und wie alles Lied, Liebe und Leben ist, — da möcht ich hinsinken auf die Knie, und rufen: du unendlicher lieber Vater wie ist deine Welt so schön!

O was gleicht diesem Morgen? Rosa-Stramin, nenne mir den theuersten Namen!

»Henriette.«

Henriette ich liebe dich, und du bist schön wie dieser Morgen. — —

Eigentlich hätt' ich Lust, noch ein bischen in die schöne Natur hineinzuplaudern, aber ich möchte zugleich in etwas anderes hineinplaudern, nemlich in dein Herz, lieber Leser, und ich wollte, du wärest mir gut, dann sähe ich dir mit mehr Muth ins Auge, und plauderte dir so viele Kapitel vor, als du haben wolltest, und riefe aus jeder Falte meines Herzens, aus jedem Kämmerchen meiner Seele, irgend etwas hervor, was dir Freude machte, und holte dir, wie ein glückliches Kind, alle meine Spielsachen und Bilder herbei. — O sei meinem Rosa-Stramin nicht gram! ich schreib' ihn mit so viel Lust, mit so viel Freude! —

Es soll mich wundern, was dieses Buch eigentlich enthalten wird. Mit größerem Leichtsinne hat noch kein Autor ein Buch begonnen, denn noch kein Sterbenswort weiß ich vom Inhalte der folgenden Kapitel. Der liebe Gott warf mir so viele Blumen und hoffnungsgrüne Zweige in meinen Lebensbach, daß ich nichts Besseres thun kann, als zu jenen Zweigen zu fliegen, mich darauf zu setzen, und solchergestalt dahin schiffend, getrost in die Welt hinein zu singen. Aus welcher Tonart, und ob nach der italienischen oder deutschen, oder welcher anderen Schule, weiß der Vogel selbst nicht.

Drittes Kapitel.

Ueberhaupt war es eine gute Zeit, als ich nur zwei Schulen kannte. Ich war damals noch ein kleiner Junge, zu Lenzbach, wo meine Eltern wohnten, und ungefähr in dem Alter, wo man noch an das Christkindchen glaubt, und wo einem spaßhafte Leute weiß machen, man könnte die Vögel fangen, wenn man ihnen Salz auf den Schwanz streute. Jene beiden Schulen hießen die Kantorschule und die Rektorschule, und erschienen mir als die beiden einzigen Stufen und Stationen zur erschrecklichsten Gescheutheit. Aber ich habe hernach gefunden, daß sich der Weg bis zur Gescheutheit sehr lang zieht, wie die Station von Luther am Barenberge bis Braunschweig. Die Kantorschule und die Rektorschule waren mir, so zu sagen, die beiden Universalbrüste aller menschlichen Weisheitsmilch. Die erstere säugte den Knaben mit Liebe und lehrte ihn das Wort Gott buchstabiren, ihr verdank' ich also das Meiste. Bei der anderen kriegt' ich die rasendsten Prügel, worauf ich gleich zurück kommen werde. Es ergiebt sich schon hieraus ein fühlbarer Unterschied zwischen beiden Schulen. Ein anderer bestand darin, daß in der ersteren Schule zweimal wöchentlich gesungen, in der andern aber alle Tage geheult wurde, eben wegen der Prügel. Und ein dritter Unterschied war der, daß in der Kantorschule viele frohe Kinder saßen, und jedes zwei Kinderfreunde vor sich hatte, einen um in ihm lesen zu lernen, und den andern, um es von ihm zu lernen, denn dieser war der Kantor selbst. Nur einen Vereinigungspunkt hatten beide Schulen, nämlich die gemeinschaftliche Thüre aus einer Schulstube in die andere. In dieser Thüre war ein Guckloch, das der Kantor geschnitzt hatte, um zu sehen, ob faule Schüler die Singstunde etwa privatim und heimlich in der Rektorschule hielten. Das Auge, das oft durch dieses Loch sah, ist nun längst gebrochen, und meine Liebe weint ihm dankbare Kinderthränen nach. Der Rektor aber prügelt lustig im Schaumburgschen fort. Raff hätte was Gescheuteres thun sollen, als seine Naturgeschichte schreiben, und die römischen Könige etwas Besseres, als Rom auf sieben Hügel bauen, was ich beweisen will. Reden wir zuerst von Raff. Als uns in der Rektorschule Naturgeschichte gelehrt wurde, und wir an den Esel kamen, konnten wirs unmöglich lernen, wodurch sich der Esel von den übrigen Geschöpfen vorzüglich distinguirte, weil nämlich jeder von uns ein Esel sein sollte. Folgendermaßen gings her. Der Esel, lehrte der Rektor aus Raff pag. 534 ff., hat eine dicke, fast unempfindliche Haut! Hatte das nun einer in der nächsten Stunde vergessen, so hieß es: warte du Esel, ich will dir's lehren! Dann gabs Prügel, daß es ein Jammer war, und wenn die vorbei waren, schrie der Rector: was hat nun der Esel? Dann heulte der Geschlagene, Ellnbogen und Rücken befühlend: eine dicke fast unempfindliche Haut! — Der Esel, hieß es weiter, hat über den Rücken einen langen Streif! Hatte das einer vergessen, so hieß es: warte du Esel, ich will dich daran erinnern. Schnapp! gab's einen starken Wichs über den Rücken. Was hat nun der Esel? Die schluchzende Antwort war: einen langen Streif über den Rücken. Der Esel, rief der Rektor, wird 20 bis 25 Jahre alt. Wie alt wird der Esel? wie alt? 25 sausten auf den Rücken. Antwort: 25 Jahre. (nicht einmal die 5 ließ er) ab. Der Esel, wenn er schreit, schrie der Esel, schreit: Hinham! Hinham! und ia! ia! *)

*) Ich folge hier einer authentischen Quelle, nemlich Raff a. a. O.

Wie schreit nun der Esel? Wir hatten's vergessen. Wartet, ich will's euch lehren! Es regnete Schläge. Wie schreit der Esel? Hinham! Hinham! ia! ia! auweh! — Von der Eselshaut, schrie er, macht man Trommeln. Aber auf dem Rücken dessen, der's vergessen hatte, schlug der Rektor eine Reveille des Gedächtnisses. Was macht man nun aus der Eselshaut? Trommeln! Herr Rektor, ach du lieber Gott! Trommeln! —

Mit den sieben Hügeln verhält sich's so. Die größeren Jungen — es waren schon ziemliche Schlingel — hatten beim Rektor von 10 — 11, und wir Kleinen von 11 bis 12 Uhr Privatstunde. Eines Tages nun kam ich um 11 Uhr, aber doch etwas zu frühe, in die Schulstube, und drückte mich bescheiden in die Ecke. Der Rektor sah mich zwar, ließ sich aber nicht irre machen, und fragte eben einen von denen, die vor ihm saßen: auf

2

wieviel Hügeln Rom erbaut wäre? eine Frage, die mich wegen ihrer Schwierigkeit in gerechtes Erstaunen setzte. Vergnügt rieb ich mir die Hände, weil ich dachte, es ist gut, daß du nicht da sitzest und die Frage zu beantworten hast. Ein ganz großer Bengel antwortete nun: auf zehn Hügeln! Entweder hätte er kein großer Bengel sein, oder richtig antworten sollen, denn beides kam mir zum Schaden. Den Rektor jagte die Zahl zehn, wie ein Blitz, vom Stuhle auf, und sein Gesicht glühte in historischem Zorne.. »Du Erz-General-Schafkopf!« war der erste Donnerschlag auf jenen Blitz, und nun fuhr er fort: »dort der Kleine in der Ecke (hier meinte er mich) soll dich Schlacks beschämen! Komm' mal her, du!« Mit Zittern naht' ich. »Auf wieviel Hügeln ist Rom erbaut?« Mir fiel zunächst eine sehr angenehme Lustpartie bei Lenzbach ein, wo man eine schöne Aussicht hat, und welche

»die neun Hügel« heißt. Zugleich wollte ich von jenen zehn doch etwas abziehen, und platzte also heraus: »auf neun Hügeln!« Auf diesen neun Hügeln kam das Gewitter zur vollständigsten Entladung, und wer bekam die Schläge? ich, der Kleine, der mit aller Gewalt beschämen sollte, und es doch nicht konnte, ich bekam die Hiebe, der ich doch nur neun Hügel gesagt hatte, und so der Wahrheit doch um einen Hügel näher gerutscht war, während der Schlacks gar drei Hügel der Stadt Rom zugelogen hatte, ohne nur einen einzigen Wichs dafür zu erhaschen.

Unschwer wird der Leser aus diesem Allen schließen, daß ich in der Naturgeschichte sowohl, als in der Geschichte, wenig profitirte. Eben so auch im Conjugiren. Von amare ist mir das Activum immer leichter geworden, als das Passivum. Ich kann hierbei nicht unbemerkt lassen, wie gewissenlos Bröder seine

2 *

Beispiele der lateinischen Conjugationen gewählt hat. Sind sie nicht ein wahrer Roman? Fängt nicht die ganze Geschichte mit Liebeleien durch alle Tempora an, und läßt er nicht, nach dem alles hortari, docere, fateri, legere, loqui und audire vergebens gewesen ist, die traurige experientia hinten nach hinken? Bröder ist allein Schuld, wenn der Schüler mit dem Conjugiren zugleich zu lieben anfängt. Mehr dagegen, als in Obigem, habe ich in der Naturlehre gelernt, und über manche Dinge richtigere Begriffe erhalten. So fing ich z. B. als kleiner Knabe oft das Regenwasser auf, und schmeckte es, in der Absicht, etwas ganz Besonderes daran zu schmecken, weil es nämlich aus dem himmlischen Brunnen kam, aus dem der liebe Gott und die Engel tranken. Später, als ich Naturlehre lernte, hat mir der Rektor diese Dummheit ausgebläut. Jetzt regnet's Regenwasser, statt Gottesbrunnen, und der liebe Gott und die Engel sind mir über den Kopf gewachsen, und mein liebes kleines Kindertraumbuch ist zum Katechismus geworden. Ach ich möchte mich noch einmal sehen, wie ich das Regenwasser kostete, und dabei andächtig nach dem Himmel sah, und den Glauben an das Christkindchen möchte ich auch noch einmal wieder haben, und auch den Glauben, daß alle Menschen gut wären. Man wird rasend vernünftig, wenn man erst groß wird.

Jetzt hat mir der liebe Gott bereits 25 Goldstücke gegeben, und mir dabei gesagt: ich sollte fröhlich damit spielen. Sie sollten alle mein gehören, aber ich sollte keines davon verlieren, und wenn ich müde wäre, wollte er sie mir aufheben, und mir demnächst einen schönen Christbaum dafür kaufen. Ich wollte ich bliebe noch lange leben, denn diese Goldstücke sind Jahre. — —

Ich freue mich über diese Abschweifung,

und kann nun Einiges daran knüpfen. Zuvörderst muß ich bekennen, daß ich in des Rektors Prügel-System weiter nichts, als einen neuen Beweis gründlicher Pädagogik erblicke, und mich freue, zu dieser Erkenntniß gelangt zu seyn. Die gewöhnliche irrige Meinung vom Gegentheile rührt offenbar daher, daß die Prügel den ersten Völkern als etwas Unangenehmes und Unbehagliches erscheinen mochten. Aber so inconsequent ist der Mensch! Mir ist die Hafersuppe schon als Knabe zuwider gewesen, einem Andern ist es die Sagosuppe, einem Dritten die Reissuppe u. s. w. Aber alle diese Suppen sind sehr gesund. Warum sollte nicht auch eine gute Prügelsuppe, obschon sie nicht jedem Unkundigen mundet, zuträglich sein? So mochte mein Rektor denken, und in der That hatte er Recht, aus vielen Gründen. Es ist bekannt, daß das Rückenmark die Fortsetzung des Gehirns ist, indem das Gehirn durch das Rückgrad ausläuft. Im Gehirn sitzt aber der Verstand, der Scharfsinn, das Gedächtniß. Es ist daher schlau, durch Kitzeln und Anregen des Rückgrades mittelst Schläge das Gehirn, und somit den Scharfsinn zu wecken, und, wie der Rektor auf diese Weise that, in steter Wachsamkeit zu erhalten. Was kann überdies ein wohlwollender Rektor, wenn er aus dem Knaben einen hoffnungsvollen Schüler bilden will, Besseres thun, als daß er ihn mit der Farbe der Hoffnung übermalt? Was kann er, frag' ich, um sich das Andenken an die Lehren des Guten stets im Knaben zu erhalten, Besseres thun, als ihm die Farbe des Vergißmeinnichts sanft aufzudrücken? Was kann er, frag ich' weiter, um patriarchalischen Frieden in der Schule einzuführen, Besseres anwenden, als jedem Schüler die Farben des Regenbogens, welcher das Sinnbild des Friedens ist, zierlich auf den Rücken zu pinseln?

Zugleich ist ein wohlgeeigenschafteter Stock für den Knaben der Zauberstab, durch den der Rektor den religiösen Sinn in des Knaben Herz influiren läßt. Er prägt ihm auf diese Weise ein, daß man sich frühe an die Schläge des Schicksals gewöhnen, und sich ihm dankbar ergeben müsse. Ja, er sagte mir einmal: gerade weil ich dich so lieb habe, ärgert's mich von dir am meisten, und deswegen bekömmst du so harte Wichse. — Aber der Rektor muß mich erschrecklich lieb gehabt haben.

Hier hab' ich einen neuen Stock, (sagte einmal der Rektor, als er hereintrat) da könnt ihr dran riechen! Dabei hielt er den Stock dem Ersten unter die Nase. Wir Kleinen aber kamen alle hinter den Bänken hervor, und riefen: ach lassen sie uns auch mal riechen Herr Rektor! — Der Stock blieb ungerochen, aber nicht unsere Naivität.

Erkläre mir doch der Leser, warum ich

schon in meinem achten Jahre die Winkel eines Triangels berechnen mußte? Ach ihr Eltern und Lehrer! thut doch mir und den Kleinen die Liebe, und laßt sie Kinder seyn! Streifet doch dem jungen Geiste, wenn er eben seine Knospe entfaltet, nicht den Blüthenstaub ab, um Schulstaub darauf zu streuen, und laßt die Blume an der Sonne Gottes blühen, statt hinter den Treibhausfenstern der Studirstube. Jaget dem Knaben, wenn er mit frischen und rothen Wangen vor euch steht, nicht das junge Blut durch Vocabeln aus dem kindlichen Antlitz, und trübet nicht das helle fröhliche Auge durch den Kummer über gelehrte Zweifel. Reißet ihm nicht die kleinen Finger von einander, damit er Decimen auf dem Klavier greifen, zerret ihm nicht die kleinen Flügel auseinander, damit er glücklichere Kinder überflügeln könne, und lasset ihn auf keinen andern Stelzen gehen, als auf wirklichen. Ach, ist es denn nicht genug, daß den gereiften Geist Zweifel quälen, wohin er nur das forschende Auge wendet, muß denn schon die junge Saat durch diese Qual, welche im kleinen Kopfe tausendfach wächst, getödtet werden? Ist es denn nicht genug, daß die Männerbrust so viel Schmerz über Lebensfragen zerreißt, muß denn schon das kleine Herz des Knaben die Angst martern, mit der er am Sonntag Abend ins Bett kriecht, wenn er seine Montagslection nicht begriffen hat? O warum mußt' ich in meinem achten Jahre den mathematischen Triangel berechnen, statt dem klingenden nachzulaufen, wenn das Bataillon mit der Musik kam? Warum mußt' ich mich mit algebraischen Formeln herumbalgen, statt mit andern Knaben? Wo ist der Mensch, der nicht manche Stunde zurückwünscht, die er anders verleben möchte? Beim Jüngling ist's manche drückende Lehrstunde in der staubigen Schule, bei dem Manne oft das

Gegentheil, und beim Greise oft das ganze Leben.

Vorstehendes, wie alle folgenden Kapitel, auf einem Spaziergange in mein Taschenbuch niedergeschrieben, trug ich so eben — es ist Mitternacht — in das Manuscript ein, und komme, wie der Soufleur, nachdem das Stück (d. h. hier das Kapitel) aus ist, hiermit nochmals unter dem Vorhang hervorgekrochen, um dem Leser privatim eine gute Nacht zu wünschen. Niemand ist mehr wach, als ein fernes Posthorn und meine Feder, — vielleicht nicht einmal mehr der geneigte Leser. Draußen liegt finsteres Dunkel auf der Stadt, und die Träume der Schläfer ziehen flüsternd um die düstern Kammerfenster. Die Katze schleicht über die Dächer und der Alp schwirrt durch die Schlüssellöcher. Droben aber am Himmel gehen leise die freundlichen Sterne und singen:

Wir ziehen über Berg und Thal
Und über's weite Meer;
Wir ziehen über Menschenqual
Und Menschenglück daher.

Wir kennen, was in stiller Brust
Sich vor der Welt verhüllt,
Und was mit namenloser Lust
Ein einsam Auge füllt.

Und wenn der Schmerz die Seele quält,
Wir geben ihr die Ruh,
Und wenn die Lieb' ihr Glück erzählt,
So hören wir ihr zu.

Wir schau'n auf manches kühle Grab,
An dem ein Mensch sich härmt,
Und schimmern in die Laub' hinab,
In der die Liebe schwärmt.

Wir reden mit dem Gram, und sind
Stets mit dem Kummer wach;
Die Thräne des Entzückens rinnt
G.rn unter unserm Dach.

Wir schlingen in den luft'gen Höh'n
Den stillen frohen Reih'n,
Und scheinen Ruh' und Wiedersehn
In jedes Herz hinein. —

Wie freundlich jener größte Stern auf mich hernieder blickt! Er wandelt so still und rein daher, wie die Tugend. O was gleicht diesem Sterne? Rosa-Stramin nenne mir den theuersten Namen!

»Henriette.«

Henriette ich liebe dich, und du bist schön wie dieser Stern! —

Viertes Kapitel.

Besser, als das Schulwesen zu Lenzbach, gefiel mir das dasige Kirchenwesen.

Bei uns ist in jeder christlichen Stadt, wie in einem frommen Menschen, eine Kirche. So hat auch Lenzbach eine Kirche, aber nur eine, und das ist gut, denn in der Residenz passirt's einem oft, daß man es läuten hört, und weiß nicht wo? Die Lenzbacher Kirche hat ein schönes Geläute. Dieser Umstand könnte dem Leser vielleicht unwichtig erscheinen, und die Weltgeschichte könnte sich wundern, das ich ihr diese Lapalie aufgespart habe, allein es hat seinen Grund. Ich habe nämlich einmal eine Reise geschrieben, und darin habe ich den Lenzbacher Wein als Essig an den Salat speisen lassen. Als die Reise auf das Lenzbacher Leseclub gekommen ist, hat's Flüche gesetzt. Da es aber bald bekannt wurde, daß ich es war, der den Salat eingerührt hatte, so ist die Bombe, welche ein Lenzbacher schon gegen mich geladen hatte, nur aus besonderer Schonung gegen das Lenzbacher Stadtkind nicht losgebrannt worden. Aber Jean Paul sagt: »Verzage nicht, wenn du einmal gefehlt hast, und deine Reue sei eine schönere That.« Daher mache ich den Lenzbachern hiermit zwei unverhoffte Freuden. Erstens nämlich erkläre ich den Lenzbacher Wein für gut, und zweitens bekenne ich hiermit öffentlich und mit aufrichtigem Gemüthe, ohne Falsch und Hehl, ohne Vorbehalt und reservatio mentalis, so wie ich es einst vor meinem Richter zu verantworten gedenke, daß das Lenzbacher Geläute sehr schön ist.

Da meine damaligen Mitschüler bereits große Kerls geworden, auch in alle Welt zerstreut sind, und ich sonach Niemand mehr habe, mit dem ich noch einmal beim Mittagsläuten auf den Lenzbacher Kirchthurm steigen und mich ans Glockenseil hängen kann, oder mit dem ich um die Kirche herum Räuber und Gensdarmen spielen, oder in der großen Kirchthüre mit gebrannten Thonkugeln schießen kann, so muß sich schon der Leser nolens volens bequemen, diese Dinge mit mir durchzumachen. Indessen ist es schon durch diese Worte geschehen, und der grimmige Gensdarm läßt hiermit den Leser wieder los. Vielleicht aber saust es ihm erhaben vor den Ohren, welche Erscheinung ich ihm gern erklären will. Es sind nämlich die Glocken auf dem Lenzbacher Thurme, neben welchen ich jetzt im Geiste wieder stehe, und zum Schallloche in die große weite Welt hinausschaue. Mein Herz wollte vergehen vor innerer Lust, wenn ich von oben herab die fernen blauen Berge, und in der Nähe alle die Spielplätze, die mir unten immer so groß schienen, mit einemmale übersah, und von einem zum andern immer schnell fliegen konnte. Und unser Haus sah ich auch, und freute mich, als mein Vater im Fenster guckte, unbefangen und nicht ahnend, daß ich ihn aus dieser Ferne und Höhe beobachtete. Jetzt hört er's läuten, dacht' ich, und du kannst ihm hernach sagen, daß du dabei gewesen wärest; und viele tausend Menschen, dacht' ich, hören's jetzt läuten, und ich kam mir recht wichtig vor, daß ich so dicht neben dieser großen Ursache einer so großen Wirkung stand. Den Hammer bei der Glocke besah ich mir genau, und freute mich, denselbigen Hammer zu sehen, den ich so oft hatte schlagen gehört.

Doch wer giebt mir die kindliche Andacht zurück, mit der ich in der Lenzbacher Kirche betete? Ich durfte ja zum Herrn kommen, und Niemand durfte mir wehren, denn dem Kinde war das Himmelreich. Wir Knaben saßen auf der Orgel nach der Ordnung, die wir in der Schule beobachten mußten, und der Cantor ging zwischen uns herum, und sah auf Zucht, und wer von uns fehlte. Kirchenschwänzer wurden am Tage darauf in der Schule gefragt: über welchen Text geprebigt worden sey? und wer den Text nicht wußte, dem wurde er gelesen. Ich sitze jetzt wieder auf der Orgel, und denke Folgendes:

Erstens, daß so wenig Geschäftsleute in die Kirche kommen. Der Amtmann kommt nicht. Ohnehin macht er als Honoratior von Lenzbach nur an hohen Festtagen dem lieben Gott einen Anstandsbesuch in Stiefeln und Sporn, und mit einem Tressenhut. Jetzt sitzt er zu Hause im Schlafrock, und hat ein Untersuchungs-Protokoll vor, betreffend den Diebstahl eines Laibes Brod. Wer dem lieben Gott Sonntage stiehlt, geht frei aus. — Pfui, wem das Sonntagsgeläute nichts ist, als ein Ohrenkitzel, bei welchem sich's am besten arbeiten läßt.

Pfui, wenn während Gott mit tausend Glokkenstimmen seine Gläubigen auf der Erde zusammen ruft, daheim am Aktentische ein Ding sitzt, das aussieht wie ein Rückstand, oder wie ein Submissions-Termin, oder wie eine Rubrik in Sachen des gegen den puncto debiti, d. h. wegen einer Schuld, einer großen Schuld, die es sich selbst und der Menschheit zurückbezahlen soll, — ein Geschöpf, das sich mit Appellations-Extrajudicial- und Hämorhoidalbeschwerden herumplagt, und dem der Geschäftsstyl lieber ist, als der deutsche Styl, das die Freundschaft nur kennt aus dem litis consortium, und die Liebe aus den Fornications- und Divortiensachen, und die Natur aus den gerichtlichen Augenscheinen und Steuerbuchs-Extracten, und den lieben Gott aus dem juramentum judiciale, — wenn so ein Ding, sag' ich, daheim sitzt und sagt: ich habe keine Zeit in die Kirche zu gehen.

3*

Unterm Läuten klappen die Bänke, und die Männer poltern auf den Chören und Bühnen, und die Weiber gehen ehrbarlich und ernst durch die langen Gänge der Kirche, bescheidene Jungfrauen mit dem Buche in der Hand desgleichen, und kein Mensch thut, als kennt' er den andern. — Die Männer halten einige Minuten lang, wenn sie in die Kirche und an ihren Platz gekommen sind, den Hut vors Gesicht. Warum thun sie das? schämen sie sich, daß sie den heiligen Geist um seine Gegenwart anflehen? oder wollen sie, daß man es, wenn auch nicht ihrem Gesichte, doch der Hutmaske ansehe? Vernünftiger scheinen mir zwei andere Gründe. Man will entweder den eigenen flatterhaften Geist unter dem Hute gefangen nehmen, wie man auf diese Weise Schmetterlinge fängt, oder man will, wie man sich mit vorgehaltenem Hute böse Hunde vom Leibe hält, auf diese Weise den Teufel von sich abhalten. Bei allen folgenden Gebeten betet der Hut, wie ein vornehmer Mann, nicht mit, ausgenommen beim letzten. Wahrlich! vor dem Sonntagshute eines bejahrten Spießbürgers soll man Respekt haben, blos wegen der vielen Gebete, die schon hineingehaucht sind.

Das Lied beginnt. Der Gesang schlägt seine Wogen um mich her, und reißt die Herzen mit sich fort. Jetzt wälzt auch die Orgel ihre großen Töne durch die Kirche. Eine unendliche Fluth rauscht und braust um mich her, nnd die wonnezitternde Seele nennt gläubig den großen Namen des Herrn.

»Die Himmel rufen, jeder ehret
  Die Größe Gottes, seine Macht,
Die ausgespannte Veste lehret
  Die Werke, die sein Arm gemacht.
Und aller Welten Harmonie
Verkündigt und besinget sie.«

In tausend Echos umziehen mich die Accorde. Horch! wie die Engel singen, wie die Sonnen durch die Unendlichkeit den großen Namen des Herrn rufen! Wer nicht Gott ist, müßte beben und auf die Knie hinzittern, und jammern um Gnade, daß die Allmacht den Wurm nicht zertrete. Aber durch die Donner der Sphärenmusik klingen sanfte Flötentöne der Liebe. Millionen und Millionen danken und hoffen, und lieben und sehnen sich, und der Vater hört und sieht jedes kleine ohnmächtige Gefühl in dem Herzen der Menschen, jede Freude, und jedes bange Weh, und jede weinende Empfindung und jedes jubelnde Entzücken, und, weiß es, Henriette, wie mein Herz dich liebt!

»Es strömt von einem Tag zum andern,
Gleich Bächen, ihre Rede fort,
Und eine Nacht erzählt der andern
Laut ihr gedankenvolles Wort.«

Die Sternennächte gehen durch die Unendlichkeit. Sie heben ihren Schleier und senken ihn wieder, und alles erkennt und betet an. Sonnen ziehen durch das unermeßliche All. Eine Welt schwingt sich in ewigen Kreisen um die andere. Auf jeder wird gekämpft und gerungen, und geliebt und gehofft. Aber Einen Stern giebt es in der ewigen Vereinigung, und auf diesem Sterne, Henriette, werd' ich dir sagen, wie mein Herz dich liebt. — —

Gesang und Orgel verstummen, die Menge schlägt die Gesangbücher und die Himmelsthore meiner Phantasie zu, reinigt sich das bequemste Plätzchen zum Sitzen, und bedenkt gar nicht, wie dem jungen Candidaten zu Muthe ist, den ich jetzt die Kanzel besteigen sehe. Er stört mich, weil ich ihm die Angst ansehe, und in meine Seele herüberpflanze. Ich habe einmal gelesen, daß, wer zum erstenmale predigt, Niemand so sehr rührt, als sich selber.

Davon ist der Candidat ein Beweis. Die Geister meiner Andacht lagen, wie sonnige Paradiesvögel, mit ausgebreiteten Flügeln über meiner Seele. Der junge Pfarrer hat sie verscheucht. Der Prediger soll sich in die Herzen seiner Zuhörer versetzen, und die guten Gefühle und Gedanken, die schon darin schlummern, nur herausziehen und emporrichten. In meiner Brust treff' ich den Candidaten nicht an. Er giebt sich viel Mühe, den Knäuel religiöser Gedanken, der in manchem Zuhörer liegen mag, ordentlich auf dem Haspel des Systemes abzuweisen. Aber bei mir fruchtet's wenig.

Er predigt über die Barmherzigkeit und Mildthätigkeit, und macht, nicht ohne Geist, die Bemerkung, daß einem hier auf Erden diese Tugend selten gedankt wird. Verfasser dieses weiß davon mehrere Geschichten. Nämlich ein kleiner armer Junge stand an der Straße vor dem Frankfurter Thore, wo der Weg nach den Felsenkellern führt. Da kam ein Ladenschwengel angetanzt, mit einer schönen Gravatte und einem Bambusstöckchen, und sang aus Fra Diabolo. Der Junge sagte, er hätte den ganzen Tag noch nichts gegessen, und sah dabei aus, wie die Stubendecke da oben, und weinte. Jedoch der Ladenschwengel sang weiter aus Fra Diabolo, bis ihn, als der Junge hinter ihm her lief, und ihn um Gotteswillen bat, eine menschliche Rührung übermannte, und er dem Knaben einen Pfennig gab. Der Pfennig war freilich ein hannöverscher, und der Junge war in Kassel. Aber bedanken hätte sich der Bettelbube doch wohl können. Nicht den Mund that er auf. Der junge Mensch tanzte weiter, und das Herz pupperte ihm in den seligen Gefühle, etwas für die leidende Menschheit gethan zu haben. — Aber nicht nur, daß einem selten gedankt wird,

— die Leute verschmähen sogar oft den guten Rath, den man ihnen aus christlichem Herzen giebt. Davon weiß ich wieder eine Geschichte. Nämlich ein alter zerlumpter Bettler stand an derselben Chaussee. Da kam ein Primaner daher. Der Kerl sprach ihn an mit zitternder Stimme um eine kleine Gabe. Aber der Primaner sagte, indem er vorüber ging: »das Betteln ist verboten, ihr müßt arbeiten und die Knochen gebrauchen, wie andere Leute auch.« Das war wohl ein gescheuter Primaner! der alte Bettler hätte sich den guten Rath merken sollen. Aber das that er nicht, sondern hob drohend den Finger auf, und riß die Augenlieder weit auseinander, und rief mit fürchterlicher Grabesstimme hinter dem Primaner her: »ich bin sechs und achtzig Jahre alt!« Dem Primaner wurde ganz angst. Er lief schneller, und die ganze Nacht stand ihm das alte Bettlergesicht vor den Augen. In derselben Nacht starb der Bettler. Hätte er gearbeitet, und seine Knochen gebraucht, wie andere Leute auch, so wäre er nicht verhungert. — Was ist wohl weniger werth, als ein Strauß Veilchen? und ein Kreuzer ist wahrhaftig Geld genug dafür. Dennoch weiß ich eine Geschichte, wo ein Bauernmädchen, obgleich es einen Kreuzer für so einen Strauß bekam, schändlicherweise den Käufer betrogen hat. Rosa-Stramin, sing doch mal das Lied!

»Kauft schöner Herr die Veilchen!
Zwei Kreuzer gebt ihr mir!
Ich steh' ein langes Weilchen
Bereits vergebens hier.

Mein Vater liegt im Grabe,
Meine Mutter liegt im Grab.
Herr für die kleine Gabe
Kauft mir die Veilchen ab!«

»Geh, kleine Dirne, raff' dich!
Die so viel Geld begehrt!

Das Sträußchen ist wahrhaftig
  Kaum Einen Kreuzer werth.“

„Aß heut' noch keinen Krumen,
  Und, Herr, mich hungert sehr.
Drum nehmt sie, nehmt die Blumen!
  Gebt mir den Kreuzer her.“

Das Mädchen gab die Veilchen, —
  Da fiel 'ne Thräne d'rauf —
Der Herr, der nahm die Veilchen,
  Die Thräne mit in Kauf.

Und wie er kömmt nach Hause —
  's ist kaum 'ne Stunde her —
Da blühet an dem Strauße
  Kein einzig Veilchen mehr.

Die Farben, die sie trugen,
  Sie sind verwelkt und blaß.
Er will den Duft versuchen, —
  Da sind die Veilchen naß.

Da faßt's ihn erst mit Leide,
  Und drauf unheimlich an,

Er legt den Strauß bei Seite,
Sieht nie ihn wieder an. —

Der Candidat predigt noch immer fort. Da aber die Predigt kein Ende nimmt, so denk' ich, lassen wir ihn reden, denn ich habe so wenig Zeit, als der Leser.

Ich sitze übrigens, während ich schreibe, wie in der Kirche, nämlich auf einem alten Baumstamme, mitten im schönsten Frühlingsabend. Matter, goldiger Glanz liegt auf der Gegend. Zwischen zwei violettfarbigen Bergen zieht ein Strichregen dahin. Aus Nachtigallenkehlen singt der Tag sein Schwanenlied. Ferner Bauerngesang und schwaches Abendläuten zittert durch die ruhigen Lüfte. Die Mükken spielen im letzten Strahle der Sonne, und Balsam duftend weht der Hauch der ewigen Liebe durch die klare freundliche Welt. — O wie schön, wessen Leben einst so verginge, wie dieser Abend! —

Fünftes Kapitel.

Wie wird mirs gehen! dacht ich schon beim zweiten Kapitel, und ich habe gar keine Courage, mit meiner Angst herauszugehn. Es ist mir nämlich was eingefallen, d. h. eingefallen ist mir eigentlich nichts, aber — — — Ei! singe mir lieber was, Rosa-Stramin!

»Dralalaidi dralalaidi, dralalaidi!

Ueberm Berge, sagt' er,
Steht der Mond', sagt' er,
Und zum Hüttchen, sagt' er,
Schaut er nein.
Und im Hüttchen, sagt' er,
Sitzt ein Mädchen, sagt' er,
Möcht so gerne, sagt' er,
Bei ihr sein.«

Weiter!

»Viele Sterne, sagt' er,
Giebts am Himmel, sagt' er,
Und viel Mädchen, sagt' er,
In der Welt

Und die Sterne, sagt' er,
Wissens einzig, sagt' er,
Welches Mädel, sagt' er,
Mir gefällt.«

Ich wollte, ich hätte dieses Lied gemacht. Aber ich sehe, daß ich es doch sagen muß, was mich ängstigt. Also: wie wird mirs gehen, dacht ich, d. h. ich dachte eigentlich schon früher mal daran, d. h. ich dachte nicht gerade daran, aber —

Rosa-Stramin wir wollen noch was singen!

»Dralala, Dralala, dlaidi!
Ich wollt' ich wär' ein Vögelein,
Ich wüßte wo ich bliebe,
Ich flög zu Liebchens Fenster 'nein,
Und sang' ihr meine Liebe.

Ich wollt, ich wär' ein Vögelein,
Ich wäre fromm und artig,
Ich wollt kein loser Vogel sein,
Und Lieb' und Treu bewahrt' ich.

Heraus damit! was fiel mir ein? — Daß ich könnte recensirt werden. — Und was dacht ich? — wie wird mirs gehen! —

Mich haben immer die courageusen Leute gefreut, die sogleich im ersten Kapitel, oder in der Vorrede, oder überhaupt im ganzen Buche mit gefällter Feder auf die Recensentenwelt los gehen, die ihnen noch gar nichts gethan hat, oder auf irgend einen Recensenten, der sie einmal getroffen hat. Wie ist doch die Geschichte mit den Pastoral-Ziegenbock? Rosa-Stramin erzähle sie einmal!

»Es war einmal ein Pastor, der hatte einen Ziegenbock. Der Ziegenbock war aber schlimm, und machte, was er wollte, weil er der Liebling des Pastors war. Wer dem Ziegenbock was that, der that dem Pastor was. Matz, so hieß das Thier, spielte Kriegen im Hause mit den kleinen Pastörchens, gallopirte dabei durch die Gemächer der Frau Pastorin, und warf Haubenstöcke und Menschen und Alles um, auch das Wägelchen der Kinder in den Graben, wenn er keine Lust mehr hatte, sie zu ziehen. Der Ziegenbock schnupperte dem Pastor aus der Hand, und den Bauern aus der Küche, marschirte bei Leichenzügen mit voran, und sang mit den Cantorschülern um die Wette. Er war, daß ich es kurz sage, ein wahrer Sultan im Orte. Eines Sonntags nun steht der Pastor auf der Kanzel und deducirt im Voraus, wie er sowohl im ersten Theile seiner Predigt unter a und b, als auch im zweiten Theile derselben unter a und b, und 1 und 2, die Gemeinde nach und nach zur Verzweiflung zu bringen gedenke. Da plötzlich in die offene Kirchthüre tritt Matz, der Ziegenbock. Er guckt umher und hinauf zu seinem Herrn. Wie er aber bemerkt, daß sein Herr von Dingen redet, die er, Comparent, nicht versteht, und daß ihn der Pastor ignorirt, so geht er weiter, und geradewegs den Gang entlang, der durch die Kirche führt. Die Jungen auf der Orgel konnten sich nicht halten vor Lachen. Wie Matz nun an das Ende der Kirche kommt, so sitzt da auf einem kleinen Bänkchen an der Erde ein alter Bauer. Für den ist der Saamen des göttlichen Wortes, den der Pastor von der Kanzel warf, Mohnsaamen gewesen, und er ist eingenippt. Das Nippen ist in der Regel auch ein Nicken, und ich habe noch keinen sitzenden Schläfer den Kopf schütteln sehn, wenn ihm nicht gerade eine Fliege auf der Nase saß. Und so fällt auch der Kopf des schlafenden Bauern vorwärts, bis er im halben Erwachen sich wieder emporreißt, um wieder zu nicken. Wie Matz den Bauern sieht, Sapperlot! denkt er, was will der? Matzens Ehrgeiz erwacht, und er setzt sich in kampfgerechte Positur dem Bauern gegenüber, und erwartet den erneuten Angriff. Die Jungen auf der Orgel tobten. Der Cantor ließ verstohlen Backpfeifen klingen, statt Orgelpfeifen, und zog Ohren, statt Register. Aber was halfs? Wie nun der Bauer wieder nickt, da hats ihn der Ziegenbock gelehrt, ich meine denn! Der Bauer soll aufgewacht sein, und geglaubt haben, der Teufel stände vor ihm. Aber Matz war schwer zufrieden zu stellen, bis sich endlich der Küster und zwei Kirchenälteste hineingelegt, und dem Zank' ein Ende gemacht haben. Wenn der Ziegenbock noch nicht gestorben ist, so lebt er noch.«

Gut, Rosa-Stramin! was lernen wir hieraus?

»Autoren, die gegen ihren recensirenden Leser im voraus zu Felde ziehen, sind Matze.«—

Du lieber fremder ernster Mann, der du jetzt da sitzest, und mich entweder loben, oder tadeln, oder keins von beiden willst! Einigermaßen zittere ich vor dir, weil dir nämlich weniger an meiner Freundlichkeit gelegen ist,

4*

als daran, was ich mitbringe, und was ich in der Tasche habe, um es dem Publikum vorzusetzen, z. B. wieviel Portionen Sentimentalität, wieviel Prisen Salz, und ob alles gehörig zubereitet und gar gekocht ist, und was ich unter humor, das weiter nichts, als Flüssigkeit heißt, verstehe, ob Wasser oder Wein, oder das, was Virgil in den Georg. I. 114, Plinius in der H. N. VIII. 38. und H. Heine in den Reisebildern unter diesem Worte verstehen. Eine captatio benevolentiae ist also rein unmöglich. Du fremder strenger Mann! und dennoch verehr' ich dich dankbar als meinen Lehrer im voraus, und ich bin, wenn ich dieses Buch in die Welt trage, wie ein Kind, das mit dem ABCbuch zum ersten Male in' die Schule geht, und dessen Herz mit einer gewissen angeborenen Verehrung seinem Lehrer entgegenklopft. Wenn du mich aber zu hart strafst, z. B. mit ewigem Gefängniß in irgend einem

Buchladen, wo kein Hahn nach mir kräht, vielweniger nach mir fragt, nun so frag' ich auch nichts darnach, sondern scheere mich den Henker darum. Du weißt ja nicht, was ich im ersten Kapitel alles vorgebracht hätte, wenn mir nicht der Probator Lamlius dazwischen gekommen wäre, und weißt auch nicht, was ich für Brandraketen und Leuchtkugeln in der Tasche habe, um sie in den nächsten Kapiteln in die Finsterniß des Jahrhunderts zu werfen. Wüßt' ich, was in den folgenden Kapiteln zum Vorschein käme, so könnt' ich dir vielleicht ansehnliche Versprechungen machen. Na! sei mir nicht gram! Laß uns gute Freunde sein, und laß das Buch laufen!

Das darf ich nicht, sagst du, ich muß es erwähnen.

Nun so sei barmherzig.

Das darf ich nicht, das ist gegen Pflicht.

Nun so mach' es herunter!

Das darf ich nicht, wenn was Gutes daran ist.

Nun so lob' es.

Das darf ich nicht, wenn es schlecht ist,

Nun so donnere mich wenigstens nicht zur Erde hinein!

Warum nicht, wenn dirs gebührt?

Ei zum Henker! mit dir ist aber auch gar nichts anzufangen! — Ich wollte dir auch noch eine sonderbare Geschichte aus meiner Lenzbacher Knabenzeit erzählen, nämlich die mit der einsamen Harfe. Auf meiner Eltern Bodenkammer stand in einer dämmerigen Ecke eine Harfe. Es war lange nicht darauf gespielt worden, und mehrere Saiten hingen zerrissen umher, und eine einsiedlerische Spinne hauste in dem trauernden Saitenspiele, und hatte einen langen Faden darüber gesponnen. Niemand bekümmerte sich um die Harfe, die, an die Wand gelehnt, träumerisch, wie eine weinende Erinnerung in jene Zeit versunken schien, wo es in ihr geklungen und gesungen hatte. Und zuweilen gab die Harfe einen leisen, schmerzlichen Klang von sich, und ich lauschte dann an der Thüre, und hatte wunderliche Gedanken. Einstmals — es war Sonntags gegen Abenddämmerung — spielten wir in unserm Hause, das sehr groß war, Verstecken, oder eigentlich Anschlag, wie sie's nennen, und ich und Pastors Rickchen hatten uns oben auf die Bodentreppe gekauert, dicht an die Thüre, die zu der Kammer führte, wo die Harfe stand. Da auf einmal — doch ich will dir nun die Geschichte gerade nicht erzählen, weil du so wirrisch bist. —

Ja diese Spiele, Leser, waren allerliebst. Wir kamen alle Sonntage zusammen, bald hier, bald dort. Aber seit dem das mit der Harfe vorgefallen war, versteckte ich mich, wenn wir in unserm Hause Anschlag spielten, immer ganz allein, ohne Jemand mitzunehmen, an die Thüre der Bodenkammer, und in derselben Nacht weinte ich dann mein Kopfkissen naß, und schluchzte, aber heimlich, damit's mein Vater nicht hörte, und ich sah auch zu der Zeit immer sehr blaß aus, so lange, bis wir aus dem Hause zogen. Noch jetzt kann ich nicht gut eine Harfe spielen hören, obgleich ich sonst gern Musik höre, und auch selbst verstehe, denn schon in Lenzbach lernte ich die Geige spielen beim dortigen Mädchenschullehrer. Die ersten zusammenhängenden Töne, die ich heraus bringen konnte, machten mich glücklich, wie einen Vater, wenn sein Kind sprechen lernt. G — dur war mir immer am leichtesten, und ich konnte in dieser Tonart einen Lauf spielen, mit dem ich überall Sensation erregte. Die Tonleiter war mir unausstehlich, weil sie keine Melodie in sich trug, und wer auf meiner Tonleiter hätte in das hohe e steigen wollen, hätte schon auf der zweiten Saite den Hals gebrochen. Unsere Hausflur war groß und schallreich, und hier, wo ich geigend auf und nieder ging, stimmte ich die Vorübergehenden entzückt und heiter. Wenigstens weiß ich nicht, warum sie sonst so freundlich gelacht hätten, denn an dem kleinen Geiger war doch wahrlich nichts zu lachen. Ja ich ging noch weiter. Nahe vor dem Brückthore sind die Weinberge. Auf deren Höhe stieg ich mit der Geige, und setzte mich oben auf den großen Felsen, und spielte. Weit hin lag die schöne, heitere Welt unter meinen Füßen. Ich spielte mir warme Rührung ins Herz, und die Töne meiner Geige schwammen verweht in der blauen Frühlingsluft. Und während ich so fiedelte, dachte ich an den lieben Gott, und an den Himmel, und wie meine Eltern weinen würden, wenn ich einmal stürbe, und an den kleinen Louis, und an Allerhand. Der

Weinberg, welcher der stille Zeuge meiner musicalischen Phantasien war, gehörte einem Manne, welcher später eine Zeitschrift redigirt hat unter dem Titel »Lenzbacher wöchentliche Mittheilungen,« oder eigentlich: wöchnerische Mittheilungen über die beständige febris puerperalis des dichtenden Redacteurs. Daß ich zufällig gerade seinen Weinberg zu meinem Sitze nahm, mag ein Beweis sein, daß sich die schönen Geister begegnen. In der That harmonirten auch unsere künstlerischen Bestrebungen ganz, ausgenommen in einem Punkte, denn mein Geigenspiel raubte Jedem den Schlaf, was bei den Versen des Weinbergsmannes umgekehrt war. Als im vorigen Jahre die Cholera kam, hörten die Wöchentlichen Mittheilungen auf.

Was mögen die Künstler sagen, wenn sie diese heillosen Proceduren des kleinen Fiedlers erfahren? Profanation der Kunst! (werden sie schreien), der Junge hätte mir ein Jahr lang, von frühe bis Abend, Scala spielen müssen, eh er zu phantasiren sich hätte erkühnen dürfen. — Ach ihr lieben Künstler! erbost euch doch nicht so! eure ganze Künstlerschaft, wenn ich sie hätte, gäb ich drum, wenn ich noch einmal wieder so auf jenem Lenzbacher Parnasse sitzen, und mit denselben Gefühlen in die Welt hinein gucken und fiedeln könnte! Aber wenn mir irgend ein beschnurbarter Dilettant, der sich um die Tonart bekümmert, aus welcher die Sphärenmusik gespielt wird, und welcher meint, es könnte nicht schaden, wenn der liebe Gott bei ihm Unterricht im Generalbasse nähme, ein Bengel, der keine Schöpfung, außer der Haydnschen, begreift, und nichts Höheres kennt, als das 8mal gestrichene h auf der Geige, und kein anderes Duett, als ein musicalisches; der dem unschuldigen Schweizerhirten, wenn er blasend auf der Alpe steht, die Schalmai um die Ohren schlägt, und sagt: Dummbart, du hast keine Schule! Wenn so einer, sag' ich, der viel schlimmer ist, als ein eigentlicher Künstler, den kleinen Fiedler vom Weinberge verhöhnt, so komme er zu mir an mein Herz, damit ich ihn wärmen und zu ihm sagen kann: du 8mal gestrichener Narr, du bist doch eigentlich recht zu bedauern! komm, ich will mit dir theilen, was ich habe, du Aermster auf der Erde! —

Sechstes Kapitel.

Ich sprach eben vom kleinen Louis, und es thut mir leid, daß ich darauf gekommen bin.

Die sonderbare Geschichte von diesem Knaben, der mein Bruder war, zieht allemal mit schauriger Geistermusik von kleinen Schellenbäumen, Kindertrommeln und Blechtrompeten durch meine Seele, und wenn der heilige Weihnachtsabend da ist, und ich dann durch die Straßen geschlichen bin, und die hellen Fenster beschaut habe, und wieder auf mein Stübchen komme, das der Christbaum aus der gegenüberliegenden Wohnung beleuchtet, dann sitz' ich noch lange im Dunkeln, halte die Hände vors Gesicht, und höre jene Musik, und dann kommen kleine geflügelte Kinder mit Schellenbäumen und Trommeln und Blechtrompeten musicirend hereinmarschirt, und preisen den heiligen Christ, und unter diesen Kindern ist der kleine Louis. — Er war vier Jahre alt, als einstmals im älterlichen Hause die Weihnachten herannahten. Ich war ein Jahr älter, und hatte schon Verstand genug, zu wissen, daß das Christkindchen schon ein paar Tage vor Weihnachten um die Häuser schlich, und sich erkundigte, ob die Kinder artig gewesen, und daß es dann heimlich und ehe wirs uns versahen, ankam und bescheerte. Der kleine Louis fragte immer, wie viel mal er noch schlafen müsse, bis das Christkindchen käme? Und als nun der heilige Abend da war, da sperrte uns der Vater in die Kammer neben der Stube, weil in dieser Zeit bescheert werden sollte. Wir waren in der dunkeln Kammer ganz selig, und klatschten in die Hände, und unsre Herzen pochten sehr. Nur der kleine Louis war, wie immer, sehr still. Nicht wahr, Eduard, fragte er sanft, ich bin artig gewesen? O ich auch! rief ich, und besann mich; aber da fiel mir's plötzlich siedeheiß auf die Seele, daß ich einmal vor einiger Zeit, meine neuen Stiefel probirend, mitten durch den tiefsten Dreck gewadet, und deshalb hart gescholten worden war. Der kleine Louis stand sehnsuchtsvoll an der Kammerthüre, und malte sich mit Hülfe des Lichtstrahls, der durch das Schlüsselloch fiel, Königreiche der Erde. Ich hörte ein Rauschen auf dem Gange, und ein heiliger Schauer durchrieselte mich. Da öffnete sich die Thüre, und wir stürzten jubelnd herein. Aber das Lichtmeer blendete uns. Wir wußten nicht, was wir zuerst sehen und anfassen sollten. Auf dem Tische stand ein Tannenbäumchen mit vielen Lichtern und einer Menge goldener und silberner Früchte. Um das Bäumchen herum war ein kleiner Garten von Moos mit einem fingerhohen Geländer. Darin weideten Schaafe von Wachs, und dabei stand ein Hirte mit einem Hunde, und der Hirt hatte viel Gold an sich. Für mich war ein hölzerner Säbel bestimmt. Louis gefiel am besten ein kleiner Engel von Wachs, der auf einem Drathgestelle am Bäumchen hing. Wir waren so glücklich! Der kleine Louis — ich seh' ihn noch — saß in einem gestrickten Rock auf einer Fußbank, und schaute mit seinem blassen Gesichtchen, still in die Herrlichkeiten versunken, den Christbaum an, und während ich jubelnd meinen Pallasch zog und wieder einsteckte, saß der Kleine noch immer da, und es war, als wollt' er verschwimmen in stiller Seligkeit über das flimmernde Elysium. Und als nun der erste Lärm vorüber war, da sollten wir zu Bette gehen. Ich war noch nicht müde, aber der kleine Louis war sehr müde. Und als ihn die Mutter ins Bett legte, da wollte er seinen kleinen Wachsengel durchaus nicht abgeben, sondern nahm ihn mit ins Bett. Wir schliefen und träumten von unserm Spielzeuge, der kleine Louis aber träumte von seinem Engel, und am andern Morgen war er todt. —

Darum, du stiller heiliger Abend, leuchtest du mir immer so wehmüthig in die Seele!

Siebentes Kapitel.

Aber wahrlich, wenn auch diese Todtenblume darin steht, mein Kinderleben war doch recht schön. Schade, daß es so kurz war! Als die Leute, wie im alten Testament steht, noch ein paar Hundert Jahre alt wurden, wie lange mag da die herrliche Kinderzeit gedauert haben!

Aber sie hat mit dem Lebensalter der Menschen nach und nach abgenommen. — Mir fällt bei dieser Gelegenheit ein, daß es endlich im siebenten Kapitel einmal Zeit ist, mich von einer wissenschaftlichen Seite zu zeigen. Ich thue dies durch Aufstellung zweier Hypothesen.

Erste Hypothese.

Der Untergang der Menschheit wird weder durch Feuer, noch durch Wasser, und überhaupt nicht gewaltsam geschehen. Die Lebensjahre der Menschen werden vielmehr in derselben Progression, wie bisher seit Methusalem, nach und nach abnehmen, bis am Ende gar kein Leben mehr ist, und jeder Mensch so wenig alt wird, daß er gar nicht einmal geboren wird, und folglich die Menschheit demnächst ausgehet, wie ein Nachtlicht. Ich verkenne keineswegs die Zweifelsgründe, welche der Leser opponiren wird, z. B.: das Normal-Lebensalter der Menschen sei einmal so lang gewesen, als das anderemal, aber die Menschen lebten jetzt geschwinder. Von hier bis Braunschweig sei es immer gleich weit gewesen, aber die Eilwagen seien erfunden, und wenn die Eisenbahnen im Gange seien, geh' es noch schneller. Hierauf erwiedre ich: Eben das spricht für mich. Es wird in demselben Maaße fortgehen. Die Menschen leben und fahren am Ende so schnell, daß das Leben und das Reisen nach und nach in eine Stunde, Minute,

Secunde, Tertie u. s. w. zusammengepreßt wird, und die Menschen sich das Geborenwerden am Ende ganz sparen können. — Hiermit ist der Leser aus dem Felde geschlagen.

Zweite Hypothese.

Ein Brief kommt, wenn's so fort geht, am Ende eher an, eh' er geschrieben wird, was weiter keines Beweises bedarf. —

Nicht ohne Geschick knüpf' ich hieran Einiges über das Reisen überhaupt. Es wundert mich, wie ich zu diesem Muthe komme, da ich selbst so wenig in die Welt gekommen bin, nämlich nicht weiter, als nach Berlin, und von dieser Reise weiß ich nicht viel zu sagen. Ohnehin war es damals sehr schmutziges und schlackriges Wetter, und meine Reisebilder würden daher nur denen von H. Heine gleichen. — Ach, seufzte ich oft, mit einem Fuß im Bette, nachdem ich im römischen Kaiser zu

Abend gegessen hatte, ach wenn ich doch ein Vielgereister wäre! und dann machte ich, schon halb im Traume, folgende Reflectionen.

Es giebt, dacht' ich, verschiedene Classen von Reisenden, erstens: reisende Menschen, und zweitens reißende Thiere. A. Die reisenden Menschen zerfallen wieder in verschiedene Classen, nämlich a. in leibliche und b. unleibliche Menschen. Zu den leiblichen gehören diejenigen Handlungscommis, welche so wenig, als möglich, reden. Zu den unleiblichen gehören 1) diejenigen, welche im Eilwagen die Beine nicht unterzubringen wissen, 2) diejenigen, welche zwanzig Schachteln und Pakete und Reisesäcke mit sich führen, 3) die, welche, wenn sie eingeschlafen sind, sich auf andern wachsamen Christen herumrekeln, und 4) der Mineralog von Nordhausen. Nämlich als ich mal durch Nordhausen reiste, und an diesem Orte Abends um zehn Uhr der Eilwagen eben wieder abfahren sollte, kam etwas plötzlich in denselben hereingekrochen und hereingestottert, und suchte im Dunkeln seine Sitznummer. Ein Student, der den Rücksitz verzog, wollte dem Fremden einen Vordersitz als den gesuchten Platz anweisen, was sich aber das Ding nicht gefallen ließ. Es sagte, seine Mutter hätte ihm bei der Abreise gesagt, es solle sich auf der Reise ja nicht geniren, und sich nichts gefallen lassen. Nach lautem Zank, bei dem Niemand ernsthaft war, als das fremde stotternde Ding, behielt dieses Recht und setzte sich neben mich. Aber es dauerte eine halbe Stunde, bis es zur Ruhe kam, und mir auf einmal ein sechspfündiger Stein, der in ein Taschentuch gewickelt war, auf die Füße fiel. Als es Tag wurde, guckte ich dem Kerl ins Gesicht, da war's ein Mineralog. 5) gehört zu den unleidlichen Reisenden ich selbst, als ich vorige Ostern von Braunschweig nach Hause reiste, und ganz allein im Wagen saß. B. Die reißenden Thiere (hier legte ich mich auf die linke Seite, und verlor schon alle Logik) sind entweder 1) fleischfressende. Dahin gehören vorzüglich die reisenden Engländer, welche auf dem Kopfe eine Nachtmütze, im Kopfe den Spleen, in der Brust nichts, im Magen ein Beafsteak, und in den Füßen das Podagra haben, oder 2) Bonbons fressende, oder 3) Menschen fressende Thiere. Zu den letztern gehören die groben Conducteurs, die einen bei jeder Frage anschnauzen. Auch gehört hierher die van Akensche Menagerie. Außerdem giebts auch noch reisende Violinen, denn meine Violine ist einmal ganz allein, und ohne mich, statt nach Marburg, wohin ich sie mitnehmen wollte, nach Strasburg gereist.

Bei der Akenschen Menagerie fiel mir (und hier wurde ich wieder etwas munterer) der Seehund ein, der vor zwei Jahren in Kassel zu sehen war. Auf dem Anschlagzettel war er groß abgemalt. Aber kein Mensch sah es dem Seehunde an, daß er eigentlich ein Schneidergeselle aus Bacha war. Viele Lehrer gingen mit ganzen Banden und Caravanen von Schülern hin, um das nie gesehene Thier in Augenschein zu nehmen, und kamen hernach seelenvergnügt, weil sie ihre Kenntnisse um ein Großes bereichert hatten, aus der Bude des Seehundes zurück, — bis die Polizei auch hinkam, und sagte: Spitzbube du! jetzt fährst du sogleich aus der Haut! Und darauf fuhr der Schneidergeselle sogleich aus der Haut. Du Seehund! schimpfte der Polizeidiener hinter ihm her.

Daß mich aber gerade das Gasthaus zum römischen Kaiser auf diese Dinge brachte, kam daher, daß ich daselbst immer reisende Handlungsdiener, vorzüglich Weinhändler, fand, und nie habe ich deren Nähe verlassen, ohne an Vielseitigkeit bedeutend gewonnen zu haben.

Um dieses mein Buch gemeinnütziger zu machen, und da mich vielleicht hier und da ein Weinhändler lesen wird, ich auch mit dem Prinz Rosa-Stramin noch eine schuldige Ohm zu decken gedenke, so will ich hier als Resultat meiner römisch-kaiserlichen Erfahrungen eine Instruction für einen jungen Weinhändler, der in die Welt reist, entwerfen.

Schon oben wird er nicht übersehen haben, daß ich Handlungsdiener, die so wenig als möglich reden, zu den leidlichen Reisenden rechnete. Diesen Wink benutze unser junger Freund, und bedenke, daß wenn ein schweigender Commis schon leidlich ist, ein redender angenehm, ein vielschwatzender sogar sehr angenehm, und einer, dessen Mund ein Perpetuum mobile ist, ein wahrer Ausbund von Liebenswürdigkeit sein muß. Er mache es sich also zum ersten Grundsatze, recht viel zu reden. Sein Mund sei eine beständig gehende überschlägige

Mühle. Es sei weit entfernt von mir, zu glauben, daß einmal Dinge vorkommen könnten, von denen unser junger Freund nichts verstände, und über welche er also nicht den Muth hätte, zu reden. Sollte aber unverhofft dieser Fall eintreten, so waffne er sich mit dem Medusenschilde der Frechheit und versteinere Alles. Da es aber keineswegs einerlei ist, wie man redet, vielmehr das Wenigste auf den Inhalt, und Alles auf den Dialect und die Art des Vortrages ankommen muß, so geb' ich ihm hierfür folgende Regeln. Er gewöhne sich den Bremer Dialect an, theils weil er hierdurch zeigt, er sei in Bremen bekannt, theils weil dieser Dialect unter den übrigen Weinhändlern doch der gewöhnliche ist. Er sei also kein Sonderling, und mache sich nicht lächerlich durch die Schwachheit, seinen eignen Dialect zu reden. Er mag reden, worüber er will, so bringe er doch so häufig, als möglich, gewisse interessante Wendungen und Worte an. Er sage, so oft es angeht: ja woll ja! oder er fange seine Sätze mit: »wissen Sie«? an, oder er spreche häufig, wenn er aus Bremen erzählen will »bei uns« statt »zu Bremen.« Es wird nicht leicht ein Zuhörer so albern und unbewandert in der Geographie sein, um nicht so gleich zu wissen, daß »bei uns» soviel heißt, als »in Bremen.« Er erzähle, daß er die Bremer Giftmischerin, Madame Gottfried, habe hinrichten sehen, und lüge bei der Zahl der Vergifteten ein paar hundert Opfer zu. Er sei beim Vortrage seiner Ideen so mobil, als seine Lippen, was ihm durch die weichen Stiefeln mit den dünnen Sohlen sehr erleichtert wird. Er schlage häufig hinten aus. Er imponire beim Reden durch die stete Gefahr, die Umstehenden in die Augen zu stoßen, oder am Kopf zu fassen. Aber eben dadurch, daß er es nicht thut, zeige er seine

Gewandtheit. Will er mit Jemand auf eine feine Weise ein Gespräch anknüpfen, so thue er es mit den Worten: »Für wen reisen Sie?« Er übe sich in Räsonements über die Zollverbindung. Er kenne alle Entfernungen und Orte, und Posten, und Gasthäuser und Wege. Bei Erwähnung der Gasthäuser jedoch nenne er diese nie bei ihrem Schilde, sondern bei dem Namen des Wirthes, z. B. bei Schulze, bei Müller, bei Lange ꝛc. ꝛc. Er sei mit jedem Gastwirth, wo er einkehrt, so bekannt und familiär, wie möglich, und schäkere häufig mit ihm. Er wisse, wenn die Rede darauf kommt, genau, bei wem man auf Reisen durch Deutschland das beste Beafsteak, oder die besten Saucen ißt, und, sollte sich ein Streit entspinnen, wie man den Salat am besten bereite, so sei er auf seinem Steckenpferde. Hier lasse er sich los, hier rede er freimüthig, hier lasse er seine ganze Beredsamkeit fließen, hier errege er gerechtes Erstaunen über die Art und Weise, wie er den Salat sich selbst zu bereiten, und wie er ihn zu speisen pflege. Er versäume dabei nicht, sich sonderbar zu nennen, weil ihm noch kein Kellner den Salat nach Geschmack bereitet habe Seine Kleidung sei gewählt. Er kleide sich meist schwarz, aber das Tuch sei so fein, als möglich, und der Glanz desselben gebe den Maaßstab für den Glanz seines Geistes und seines Hauses. Den Preis des Tuches behalte er genau in Acht, damit er, wenn die Rede davon ist, den wohlfeilen Kauf rühmen kann. Auf dem Kopfe bilde er sich durch Scheitelung und Kräuselung der Haare die schönsten Anlagen, damit hieraus Jeder auf den Inhalt des Kopfes schließe. Die Halsbinde sei schwarz, die oben zugeknöpfte Weste großblumig und lang. An den Beinkleidern seien an beiden Seiten, in der Gegend der Weichen des Körpers, kleine Taschen, um, indem die Hände darin ruhen, in Verbindung mit der dritten Position der Füße eine vortheilhafte Stellung möglich zu machen. Er nenne, wenn er von andern reisenden Kaufleuten spricht, diese seine Collegen, und den Gastwirth und jeden halben Bekannten Ihr statt Sie. Er erwähne gern (auch wenn Niemand danach fragt) wohin er künftiges Frühjahr reisen werde. Ins Gasthauszimmer trete er schnell und behende ein, und thue, als wär' er zu Hause. Die Marqueurs behandle er unter aller Kritik, ziehe, wenn er weggeht, einen möglichst langen Geldbeutel, in welchem sich einige Goldstücke befinden, hervor, und zeige sich auch von dieser Seite als einnehmend. Nach dem Abendessen gehe er in einen Conditorladen. Hier trete er mit der Ueberzeugung auf, daß die Ladenmamsell sich schon ein halbes Jahr lang nach ihm gesehnt. Hier entfalte er sein Talent im reichsten Maaße, und zeige seine Uebung in Unterhaltung mit Damen; hier sei er süßer, als Alles im Laden. Er erwähne gelegentlich, daß er heute nicht ins Theater gegangen sei, weil er diese Oper, oder dieses Schauspiel, unendlich viel besser gesehen habe, und verwöhnt sei. Er zeige dabei seine Kenntniß fremder Bühnen in allen großen Städten Europas, und fange jede seiner Beschreibungen mit »Wissen Sie?« an, wenn auch die Ladenmamsell nichts davon weiß. Er vermeide bei diesen und andern Erzählungen nichts so sehr, als die Wahrheit. Er lüge vielmehr dergestalt, daß die Fensterscheiben springen, und alle Fliegen in der Stube krepiren. Er sei mit einem Worte — und hierin fass' ich die Quintessenz alles Obigen zusammen — er sei möglichst unausstehlich. —

Achtes Kapitel.

Ich wandle mit meinem Notizenbuche durch einen schönen sanften Abend, und schreibe gehend. Aber ich bin nicht froh. — Ueber der Erde, welche von den Strahlen der untergehenden Sonne geküßt wird, liegt ein golddurchbrochener matter Glanz bis an die fernsten Berge, wie ein großer wehmüthiger Gedanke. Es ist, als wenn die Erde von Jemand Abschied nähme, oder sich nach dem Himmel sehnte, der mit leuchtendem Antlitz auf sie herab sieht. Unten am Berge wird eine Flöte geblasen, und diese Metalltöne schneiden mir scharf durchs Herz.

Es ist Jemand krank, lieber Leser, weit, weit von hier. Laß mich deine Hand fassen, und dir ins Auge sehen. Nicht wahr, du verstehst mich? und schiltst den warmen Tropfen nicht, mit dem mein Auge ringt? Auf jenen letzten Strahlen der Sonne steigen spielende Engel herab, und rufen, wie mit fernen Harmonikatönen: gute Nacht, ihr glücklichen Erdenkinder! Bitte diese Engel mit mir, daß sie, wenn die glücklichen Erdenkinder schlafen, hingehen, weit, weit von hier an das Krankenlager, und dort mit meiner Liebe beten, und schützend über geliebten, matten Augen schweben.

Siehst du, wo im Abendgolde
Feurig dort die Berge glühn,
Wo im stillen Aether holde,
Leuchtende Gewölke ziehn,
Dort liegt der ersehnte Strand,
Meiner Liebe Vaterland.

Und wo auf den fernen Hügeln
Dort ein Traum der Wehmuth liegt,
Wo die Taub' auf weißen Flügeln
Schwebend sich im Azur wiegt, —
Hinter dem Gebirge weit,
Meiner Sehnsucht schmerzlich Leid. —

Neuntes Kapitel.

Ein blondlockiger Knabe (Sigismund hieß er) sagte, als ich ihm gestern die Weihnachts-Geschichte von meinem Brüderchen Louis erzählte: ich sollte ihm noch mehr erzählen. Gern nahm ich den Knaben vor mich zwischen die Kniee, und erzählte ihm die Geschichte vom kleinen Paul folgendermaßen.

Nemlich, lieber Sigismund, es ist einmal ein kleiner Junge gewesen, Namens Paul, und seine schöne Mutter. Die hat den Jungen sehr lieb gehabt, und saß vor der Hütte und strickte, und der kleine Paul lief um sie her, und spielte. Gegenüber wohnte der Nachtwächter, der hatte einen Hund, Namens Felix, und der Felix und der kleine Paul waren sehr gute Freunde. Wenn die Mutter den kleinen Paul angezogen hatte des Morgens, und ihm ein Stück Brod in die Hand gegeben hatte, dann lief der Junge vor die Thüre, und rief mit seiner lieben kleinen Stimme: Felix! Felix! Dann dauerte es gar nicht lange, so kam der Felix herbeigesprungen, und warf dabei die Vorderpfoten wie ein stolzes Pferd, und galopirte auf den kleinen Paul los. Dieser setzte sich dann auf die Schwelle der Thüre, und der Felix legte sich vor ihn mit dem Kopfe auf die Vorderpfoten, als möchte er gern spielen, und dann that der kleine Paul, als wenn er weglaufen wollte, und dann lief der Felix hinter ihm her, und so liefen sie und spielten zusammen, bis der kleine Paul müde war, und sein Brod herausholte. Dann sah der Felix bald das Brod, und bald den Knaben an, und der kleine Paul meinte, der Felix wäre ein artiges Kind, das niemals fordert, sondern wartet, bis man ihm giebt. Dann brach er sein Brod von einander, und gab dem Hunde die Hälfte davon, und das geschah alle Morgen. — Aber nun auf einmal ist

Pauls Mutter krank geworden, sehr krank, und des Nachtwächters Frau ist viel ein und ausgegangen, und einmal, da ist sie auch aus dem Hause gekommen, und hat geweint. Der kleine Paul spielte just wieder mit dem Hunde. Und nicht lange nachher sind Leute gekommen, die brachten einen großen langen Kasten, der braun angestrichen war, und stellten ihn auf die Hausflur, und der kleine Paul wußte gar nicht, wo seine Mutter war, weil er sie seit zwei Tagen nicht gesehen hatte, und sein Brod hatte ihm immer die andere Frau gegeben. Wie nun der kleine Paul eines Morgens wieder aufgewacht ist, da hat in dem langen Kasten seine Mutter gelegen , in einem schönen weißen Kleide, und hat geschlafen, und die Leute haben dabei gestanden, und haben geweint. Der kleine Paul aber ist herbeigelaufen, und hat gerufen: aufwachen, liebe Mutter! aufwachen! Aber die Mutter ist nicht auf-

6*

gewacht. Da hat der kleine Paul gefragt, warum denn seine Mutter so geputzt wäre? aber sie haben ihm keine Antwort gegeben, sondern es war da ein alter schwarzer Mann, der hat den Knaben, wie er so fragte, auf die Stirn geküßt, und hat gesagt: Warte nur, lieber Paul, deine Mutter wird gewiß bald wieder aufwachen! Darauf hat die Frau des Nachtwächters das Kind auf den Arm genommen, und es herüber in ihr Haus getragen, damit der Junge nichts sehen sollte, und dabei hats just geläutet auf dem Kirchthurme. Aber der Junge ist der Nachtwächtersfrau hernach wieder weggelaufen, hinüber in seiner Mutter Haus, und hat immer gerufen: Mutter! liebe Mutter! Aber es war keine Mutter da. Der Felix wollte wieder spielen, aber der kleine Paul hatte keine Lust, sondern ist weiter gelaufen, durch die Hinterthüre und durch den Garten auf's Feld, und hat immer gerufen: liebe Mutter! Aber es war keine Mutter da. Nun ist der kleine Johannes daher gekommen, der sagte zum Paul: »ich will dir sagen, Paul, wo deine Mutter ist, dort auf dem Todtenhofe, wo die Thüre aufsteht, und wo da so viel neue Erde ist, da ist deine Mutter drin.« Und da ist der kleine Paul fortgelaufen, und die Nachtwächtersfrau hat ihn nirgends finden können. — Wies nun Abend geworden ist, da hat der Wind gebraust, und es ist kalt geworden, weil's nämlich schon Wintertag war, und der Mond hat hell durch die Bäume geschienen. Die Abendglocke hatte lange schon geläutet, und es war Mitternacht, und der Nachtwächter ist mit dem Felix durch das Dorf gegangen. Wie sie bei den Todtenhof kamen, da sieht der Nachtwächter, daß was Weißes darauf ist, und der Felix lauft geschwind hin, aber er hat nicht gebellt wie sonst, und ist auch nicht zurückgekommen, sondern hat bei dem Weißen gestanden, und geleckt, denn es war ja sein kleiner guter Freund, der Paul. Der lag auf dem Grabe und rief: Mutter! liebe Mutter! Was machst du denn hier, Paul? sagte der Nachtwächter. — Ich will zu meiner Mutter, zu meiner lieben Mutter! — Der Nachtwächter hat ihn aber wieder auf den Arm genommen, und in sein Haus getragen, und auf's Bett gelegt, wo er auch bald eingeschlafen ist, denn er war müde von der strengen Luft. Am andern Morgen hat er Milch und Brod bekommen, und hat den Felix gefragt: Felix, weißt du nicht, wo meine Mutter ist? Die Nachtwächtersfrau sagte: Paul, sei still, deine Mutter ist im Himmel. Und da hat der Paul bitterlich geschrien: ich auch, ich auch in den Himmel, ich will bei meine Mutter! — Wie es nun Abend war, da ist der kleine Paul wieder weg gewesen, und der Nachtwächter ist wieder am Todtenhofe her gekommen, und der Mond hat wieder geschienen, und es ist wieder sehr kalt gewesen. Der Felix sprang gleich wieder voran auf den Todtenhof nach der frischen Erde, und der Nachtwächter sah, wie der Hund wieder leckte. Diesmal bellte er aber auch ganz laut. Aber der Nachtwächter, als er bei den Hund kam, sah wohl, daß das Bellen nichts half, denn der kleine Paul war — erfroren.

»Ach! Und da —?« fragte mein goldlokkiger Sigismund, der mich andächtig und nachdenklich anblickte, und immer noch nicht genug hatte.

Nun, und da ist der kleine Paul bei seine Mutter gekommen.

»Und da?« fragte Sigismund weiter.

Ja, und nun ist die Geschichte aus, lieber Sigismund, und da hat der kleine Paul nie wieder geweint. —

Zehntes Kapitel.

Rosa-Stramin, die Geschichte ist viel zu traurig. Ich denke, ich singe mir ein Lied. Gieb mir meine Harfe!

Rauschet, meiner Harfe Klänge,
Rauschet, wie Triumph-Gesänge,
  Meiner Lieder schönstes Lied.
Kühn, wie zu des Himmels Bogen
  Sturmbewegt die Welle flieht,
Schlage deine großen Wogen,
  Jubelharmonieenmeer,
  Majestätisch um mich her!

Leise, leise, wie im Haine
Bei des Vollmonds Silberscheine
  Lispelnde Zephyre wehn,
Leise flüstre und erzähle,
  Du harmonisches Getön,
Von den Himmeln meiner Seele,
  Meiner Liebe Hochgesang
  Säus'le, Aeolinen-Klang!

Lausche du mir, einzig Eine,
Göttergleiche, die ich meine,
 Heil'ge Worte nenn' ich dir!
Heilig, wie ein fromm Gelübde,
 Heilig, wie du selber mir,
Wie der Glanz, der nie getrübte,
 Der die Himmlischen umzieht,
 Heilge Worte singt mein Lied.

Habe sie mit leisem Munde
Dir genannt in selger Stunde,
 Mädchen, und du kennst sie wohl.
Ja, von meines Lebens Pforte,
 Wie ein glänzendes Symbol,
Leuchten jene heilgen Worte
 Kraft des Himmels über mich:
 Henriett', ich liebe dich!

Henriette, übern Sternen
Dehnt in ungemess'nen Fernen
 Die Unendlichkeit sich aus.
Aufgebaut mit Sonnenflammen,
 Steht das ewge Weltenhaus, —

Aber, sinkt das All zusammen,
Stürzen Himmel über mich:
Ewig, ewig lieb ich dich!

Bin ich, Mädchen, einst gestorben,
Hab' ich einst die Palm' erworben,
Die mein Glaube mir gezeigt.
Schlaf' ich in dem Friedensbette,
Wo der Schmerz des Lebens schweigt!,
Grämt sich meine Henriette
Einst an meinem Grab' um mich,
Dann, auch dann noch lieb' ich dich!

Ja, ich liebe dich, und rufen
Bis zu Gottes Sonnenstufen,
Weit hin durch der Schöpfung Spur,
Rufen möcht ich's, daß die Hallen
Der Unendlichkeit den Schwur
Meiner Liebe wiederschallen,
Und die Welten Zeugen sei'n,
Daß ich ewig ewig dein!

Ja, ich liebe dich, und flüsternd,
Wenn der stille Mond umdüsternd

Leuchtet auf den Frühlingsau'n,
Wenn in Gottes Dom die Kerzen
Von der Kuppel niederschau'n,
Möcht' ich noch an deinem Herzen
Leise diesen Schwur dir weihn:
Daß ich ewig, ewig dein.

Einsam, ehr ich dich gefunden,
Einsam flohen meine Stunden,
Ohne Leben', ohne Licht,
Und der Gottheit schönsten Segen,
Und den Himmel kannt' ich nicht;
Trug mein Herz in todten Schlägen,
Unbewegt von Lieb' und Lust,
Einsam in der Jünglingsbrust.

Lag der Abend auf den Fluren,
Senkte mit den goldnen Spuren
Sich die Sonn' ins Flammenmeer,
War der Tag hinabgeschieden,
Wechselnd mit der Sterne Heer, —
O dann schloß ein heilger Frieden
Alle Wesen liebend ein,
Mich nur floh er, mich allein.

Mich bewegte nur ein Ahnen,
Gleichwie meines Engels Mahnen,
Und erhellte meinen Blick.
Und die Nachtigall erzählte
Mir von unbekanntem Glück,
Und ich fühlte, was mir fehlte:
Daß mein Herz, so reich und warm,
Dennoch so unendlich arm!

Da mit deiner Segensfülle
Hat, o Gott, dein gütger Wille
Reich, wie Crösus, mich gemacht!
Was ich auch in kühnen Stunden
Träumerisch mir ausgedacht,
Mehr noch hat mein Herz gefunden,
Paradiese gabst du mir,
Heilger Gott, ich danke dir!

Vor dir stand ich, Engelgleiche,
Du an aller Schönheit Reiche,
Wie vor einem Himmelsbild.
Fest gezaubert von Entzücken,
Andachtglühend, lieberfüllt,

Stand ich mit gesenkten Blicken,
Ohne Muth, mich dir zu nahn,
Liebend, betend nur dich an.

Bis die Stunde mir geschlagen,
Die mich himmelwärts getragen
Zu des Lebens schönstem Ziel;
Bis der höchste aller Preise
Aus der Urne niederfiel
Und von deinem Munde leise,
Wie melodischer Gesang,
Deiner Liebe Wort erklang.

Bis auf deinen rosgen Wangen
Die Aurora aufgegangen,
Die den Tag mir kund gethan,
Bis aus deinen lieberhellten
Blicken Thau des Himmels rann,
Und im Glanz von Feenwelten
Tauchte, wie aus gold'nem Thor,
Meiner Liebe Stern empor.

Voll ist meines Glückes Schaale,
Und die Götterideale,

Die ich mir geträumt, sind mein.
Freundlich schlingen trunkne Horen
Um mich her den lust'gen Reihn.
Meiner Fahne zugeschworen,
Treu für eine Ewigkeit,
Hat sich mir das Glück geweiht.

Senket nun, ihr Töne, wieder
Das melodische Gefieder,
Stirb getrost, du Liebesklang!
Hast ja, wie auf Siegeswagen,
Stolz, wie ein Triumphgesang,
Meine Braut einher getragen,
Und ihr Lächeln krönt dich schon, —
Stirb nun hin, du sel'ger Ton. —

Elftes Kapitel.

Mir fällt noch was Anderes ein, wodurch ich den Leser, wenn ihm die Geschichte vom kleinen Paul zu traurig war, erheitern kann. —

Nemlich am Sonnabend Abend saß ich auf meinem Sofa, und schrieb. Da klopfte es leise und demüthig bei mir an. Als ich herein! rief, kam unter vielen Bücklingen ein abgeschabter junger Mann, in einem Confirmirfrack, und mit einer großen Schachtel unter'm Arm, in die Stube, und bat tausendmal um Verzeihung, daß er so frei wäre. Er kam mir vor, wie der Adjunctus irgend eines Mädchenschullehrers vom Lande, und richtig! es war auch einer. Ihn führte die Absicht zu mir, ein Gedicht zu der Kindtaufe, welche am folgenden Tage der Rector Heinrich Lambert zu Schinkenburg feierte (woher auch der Adjunctus war), zu kaufen.

Vorausschicken muß ich, was der Leser unmöglich weiß, daß ich nemlich das Handwerk der Gelegenheitspoesie verstehe und treibe, und neue Weltbürger, junge Eheleute, Geburtstags-Morgenröthen und Leichenzüge ansinge, so oft's verlangt wird. Ich wiederhole hier diejenige Anzeige, die ich beim Beginne meines Geschäfts in das Wochenblatt einrücken ließ, und welche so lautet:

☞ »Je mehr Hindernisse Endes-Unterzeichneter zu überwinden hatte, um zu seinem Ziele zu gelangen, mit desto größerer Freude und Zuversicht macht derselbe jetzo einem hochansehnlichen Publikum bekannt, daß es ihm nunmehr gelungen ist, sich in hiesiger Stadt als Gelegenheitspoet zu etabliren und niederzulassen. Diejenigen, deren schändliche und eigennützige Kabalen, obgleich fruchtlos, mir den Weg zu diesem Etablissement zu versperren suchten, mögen in ihrem blassen, selbstpeinigenden Brodneide ihren gerechten Lohn finden. Ein hochansehnliches, heirathendes oder sterbendes Publikum kann nunmehr alle, in das Fach der Gelegenheitspoesie einschlagende, Artikel bereits vorräthig bei mir haben, und ich darf die reellsten Preise, die promteste Bedienung und die beste Qualität versichern. — Beispielsweise heb' ich folgende Artikel hervor:

1) *Hochzeitsgedichte* aller Art und für alle Verhältnisse. Mehrere dieser Gedichte sind allgemein, und passen auf alle Hochzeiten, andere sind für besondere Umstände berechnet, z. B. darauf, daß die Braut häßlich ist, oder eine Wittwe, oder daß der Bräutigam halb so alt ist, als die Braut, oder daß diese rothes Haar hat, für welchen letzteren Fall ich mit den feinsten Andeutungen auf feurige Liebe u. s. w. dienen kann. Es versteht sich von selbst, daß die Abnehmer zwischen scherzhaften, ernsten, schwärmerischen, schmeichelnden Gedichten dieser Art, auch zwischen allen möglichen Formen der lyrischen Poesie, eine reiche Auswahl haben. Der Preis richtet sich

hauptsächlich nach dem Gefühle, was in dem Gedichte steckt.

2) Sterbegedichte für alle möglichen Fälle. Ich kann hierbei die Versicherung ertheilen, daß in jeder Zeile dieser Gedichte Thränen fließen. Die Preise sind unerhört wohlfeil. Ein Sterbegedicht über ein Kind kostet nur 1 Gulden, über einen Jüngling 1 Thaler, über einen Freund 2 Thaler, d. h. ohne Verzweiflung. Mit etwas Verzweiflung kostet's 2½ Thaler. Bei schriftlichen Bestellungen bitte ich gefälligst anzugeben, ob das Sterbegedicht, welches verlangt wird, am Schlusse ein Wiedersehn haben soll, oder nicht, indem ein Sterbegedicht mit einem Wiedersehn noch einmal so theuer ist, als ein anderes. Auch macht es im Preise einen Unterschied, ob der Selige im Winter oder

im Frühling in's Gras gebissen hat, indem im letztern Falle die duftenden Frühlingslüfte über das Grab säuseln, und die Nachtigallen klagen, was ich nicht unter 2 Thaler ablassen kann.

3) Geburtstagsgedichte für alle Stände und für alle Tage im Jahre. Besonders schön ist eines, welches für einen Menschen bestimmt ist, der am 29sten Februar eines Schaltjahres geboren ist. Dieses Gedicht kostet, wie billig, viermal so viel, als ein gewöhnliches Geburtstagsgedicht. —

Noch bemerke ich, daß auch Bühnenprologe, Theaterrecensionen, Neujahrswünsche, Bonsbonsdevisen und Todesanzeigen, dauerhaft und zu billigen Preisen, bei mir zu haben sind. In den Prologen kommen alle neun Musen vor, sechs Tempel und drei bis vier Wolken. In den Theaterrecensionen, in welchen bloß die Namen der betreffenden Acteurs auszufüllen sind, wird Lob und Tadel auf eine geschickte Weise gemischt, so daß sie auf alle Theater und Acteurs passen, und die letzteren selbst nicht wissen, woran sie sind. In den Bonsbonsdevisen wird verliebt gestichelt, und in den Neujahrswünschen Methusalemsalter gewünscht. Die Wünsche sind beispiellos wohlfeil. Eine gewöhnliche Todesanzeige kostet nur 4 Groschen, eine mit Lob 8 Groschen.

Meine Wohnung ist im Causidschen Hause vor dem Wilhelmshöher Thore.

Eduard Helmer.«

Nehmen Sie Platz! sagte ich zu dem Adjunctus des Mädchenschullehrers aus Schinkenburg. Ich werde Ihnen sogleich einige Carmina zur Auswahl vorlegen. — Nachdem der junge Mann gewählt hatte, sagte ich zu ihm: ich wüßte leider nichts von Schinkenburg, und er möchte doch so gut sein, und mir sagen, wo es läge, und was für Menschen da lebten. Da fragte mich der Adjunctus des Mädchenschullehrers aus Schinkenburg, ob ich denn keine Zeitungen läse? Ich sagte: nein, seitdem ich am Rosa-Stramin schriebe, hätte ich mich von der Welt gänzlich zurückgezogen, und es wäre mir ohnehin jetzt zu bunt in der Welt.

»Ja, sagte der Adjunctus des Schullehrers aus Schinkenburg, der Postmeister hat's immer gesagt: »es würde einmal eine Zeit kommen, wo einem Hören und Sehen verginge, und wo Keiner mehr wüßte, ob 2mal 2 vier wäre.« Der Salbader hat's auch plausibel gemacht, und der Zwieback hat auch einmal ein Gedicht auf die Zeit gemacht. Die Schinkenburger hören und sehen nichts mehr, als die Zeitungen, multipliciren nichts mehr, als sich selber, trinken nichts als Bier, reiben sich die Hände, und leben seit drei Jahren immerfort an einem Vorabend großer Ereignisse. — Es wundert mich, Herr Doktor, daß Sie nichts von Schinkenburg wissen. Der Postmeister hat's immer gesagt: »Schinkenburg wird verkannt, aber es wird eine Zeit kommen, wo man über Schinkenburg schreiben wird *). Schinkenburg wird sich erheben, und den Völkern zeigen, daß es die Zeichen der Zeit erkannt hat!« Und dabei hat der Einnehmer viermal mit dem Kopfe genickt, und hat gesagt: Ja, ja! man erlebt jetzt viel!

»Schinkenburg hat 2000 Einwohner. Es wohnt auch ein Adeliger da, der Herr von Römfeld. Vor'm Burgthore ist eine große Wiese, — wenn man hinausgeht linker Hand, neben Schadebachs Garten, die heißt die Kuhhute. Das Burgthor ist vor zwei Jahren

*) Sie ist schon gekommen. D. V.

neu gebaut worden, was der Stadt viel Geld gekostet hat. Der Einnehmer meinte auch neulich, wie das Kränzchen bei ihm war: wenn die Pariser Julyrevolution nicht gewesen wäre, so hätten wir in unserm Leben kein neues Burgthor bekommen!« Und darauf hat der Postmeister gesagt: »es ist die Zeit der Reformen!«

»Schinkenburg liegt im Oberheidlande. Aber es herrscht in dem Städtchen Zwietracht und Partheisucht. In der Sängerstraße, nicht weit von der Judenschule, wohnt der Herr von Römfeld, und in der Küchenstraße wohnt ein Offizier. Die dritte Parthei, das sind die übrigen Honoratioren, und die vierte ist der Plebs, der Auswurf von Schinkenburg. Die Schriftsässigen wollen wieder nichts mit den Amtssässigen zu thun haben. Sie sind wie die Hunde und Katzen, außer neulich einmal beim Constitutions-Essen, wo Alles durcheinander saß. Das war ein Zeichen, daß die Schinkenburger den Geist aufgefaßt hatten. Es hat auch damals in der Zeitung gestanden. Es war zu der Zeit, wo die Polen gegen die Russen rebellirten. Als nun der Schwanwirth bei jenem Essen aus Dummheit einen russischen Pudding auf den Tisch brachte, da ist der Doktor Gütig aufgetreten, und hat gesagt: »der Erste, der von dem Pudding äße, oder was davon einwickelte für die Kinder, der wäre ein Schurke! (weils nämlich ein russischer Pudding war). — Und da hat auch Keiner ein Stückchen davon gegessen, obgleich dem Notar das Wasser aus dem Munde lief. Aber am andern Tage war der Teufel wieder los. Der Einnehmer sagte oft: »es ist eine Zeit der Parthein!« und dann ist der Postmeister aufgetreten, und hat gesagt: ihr Mitbürger! dulden wir nicht, daß die Soldateska ihr Haupt gegen uns erhebt!« dabei hat der

Postmeister auf den Offizier in der Küchenstraße gestichelt« — —

Aber liebster Herr Adjunctus! (unterbrach ich den Adjunctus des Mädchenschullehrers aus Schinkenburg) Sie erzählen mir da so viel durcheinander, daß ich wünschen muß, Sie machten mich mit den Personen, von denen Sie reden, etwas näher bekannt.

Darauf fuhr er fort:

»Der Postmeister, verehrtester Herr, ist der Postmeister in Schinkenburg, und heißt Paps. Es ist ein dummer Name. Aber der Postmeister ist ein gescheuter Mann, und die Schinkenburger haben viel Respekt vor ihm, weil er so eine barbarische Stimme hat, und immer Stiefel mit Sporen trägt. Er ist ein Poltergeist und leicht in den Harnisch zu bringen. »Turn und Taxis!« ist sein drittes Wort. Aber doch ist er sehr gemäßigt, weshalb er auch den Schinkenburgern so göttlich scheint. Er wirft einem z. B. nie eine volle Bouteille Bier an den Kopf, sondern immer eine leere, und trinkt auch nie mehr, als fünf Bouteillen Bier, während die Ultra's in Schinkenburg sechse trinken. Der Paps braucht gern das Wort Volk, und dabei denkt er an sich selber. Wenn irgendwo ein Straßenlärm ist, z. B. wenn die Jungen in Schinkenburg dem Herrn von Römfeld einen Kanonenschlag gelegt haben, dann denkt er an die Julytage, schimpft auf das Stadtregiment, und spricht mit bleichem Antlitz, aber mit Löwenstimme: »Das sind die Folgen, und es wird noch schlimmer kommen!« Der Paps spricht auch gern von der Zeit, und daß die Aristocraten (das ist allemal ein Hieb auf den Adeligen in der Sängerstraße) die Zeit nicht verstehen. Er ist überhaupt ein barbarischer Kerl.

»Der Doctor Gütig ist ein Arzt, und der Major der Schinkenburger Stadtmiliz

Er ist eigentlich ein Damenmann, aber das Vaterland liegt ihm dabei stark am Herzen. Ich glaube, er ist aus dem Hannöverschen, wenigstens hat er so einen verwünschten Dialect, wie wenn man eine Tasse Thee trinkt, in welche Jemand aus Versehen zweimal Zucker geworfen hat. Ich traue ihm gar nicht. Er trinkt auch wenig Bier. Aber er ist gewandt in der Rede. Der Salbader hat's einmal auseinander gesetzt, aber ich weiß nicht mehr recht, wie's war, daß nemlich der Postmeister mehr die Freiheit vorstellte, und der Gütig mehr die Gleichheit. Denn wenn man den Doctor so von der Gleichheit sprechen hört, so geht einem das Herz auf. «Alle Menschen (sagt er einmal) sind a priori einander gleich«, und da hat der Notar gesagt: «a posteriori auch, Herr Doctor!« und da haben sie Alle gelacht. Aber das erzähl' ich nur so neben her. Ich meine, wenn der Doctor so manchmal recht bei Laune war, und von der Natur sprach, und daß alles gleich in der Welt wäre, und daß man keine Mode mit zu machen brauchte, und daß alle Güter auf der Erde von Rechtswegen auch allen Menschen gehörten, und daß alle Menschen Brüder wären, — dann hat der Notar geweint, und nur der Einnehmer hat eine dumme Bemerkung gemacht, und gesagt: »Vermögensverschiedenheit wäre doch eigentlich immer in der Welt gewesen«. Sackerlot! was ist da der Einnehmer abgefahren! Er hat sich auch vierzehn Tage lang nicht im Kränzchen sehen lassen. — Was nun aber dem Doctor keiner nachmacht, das sind Statuten. Wenn in Schinkenburg Statuten zu machen sind für den Klub, für das Bierkränzchen, für den Bund der Völker, für die »teutsche Assemblee«, für die Schinkenburger Schweinezucht, für die Schinkenburger Stadtmiliz u. s. w. , so kann das Niemand besser, als der Teufelskerl, der Doctor Gütig. Was ihm dagegen die ganze Welt übel nimmt, das ist, daß er so ein Haustyrann ist. Seine Frau hat sich einmal auf ihn selbst berufen, und gesagt: sie wäre auch gleich, und auch ein Mensch, und da hat ihr der Doctor eine Ohrfeige gegeben. O es war ein wahrer Scandal, und zwei Tage nachher stand im Schinkenburger Volksblatt ein Aufsatz, worin stark auf diese Geschichte gestichelt wurde. Ich möchte wissen, von wem er war. Es stand blos darunter: Anonymus. Der Doctor hat auch immer die Constitution in der Tasche, und ist ein Freund von Verwahrungen und Addressen. Der Stadtrath von Schinkenburg hat einmal an den Doctor, welcher Vorstand der teutschen Assemblee war, wegen des Gesellschaftslocals geschrieben, und dabei hatte er teutsch mit einem d geschrieben, und da hat sich die ganze teutsche Assemblee feierlich verwahrt, und der Doctor hat auch eine recht gute Schrift aufgesetzt an den Stadtrath, und hat's ihm unter die Nase gerieben, daß die ganze teutsche Assemblee vom Tuiskon abstammte, und sich also mit einem t schriebe. Sie sagten damals Alle, der Doctor wäre zu weit gegangen, aber item! es war doch gut«. —

»Nummer 3., der Steuereinnehmer Krautenfeld, ist ein solider Mann von 50 Jahren, und hat schon gräuliches Haar. Er trinkt immer nur eine Flasche Bier mit einem Andern zusammen, weil die Landstände nur 400. Thaler für die Steuereinnehmer ausgeworfen haben. Er trägt einen blauen, zweckmäßigen Oberrock, kurze Manschesterhosen, lange weiße Strümpfe, und Schnallen auf den Schuhen. Er gehört zu den Liberalen, weil es schändlich wäre zu jetziger Zeit, nicht liberal zu sein. Gleichwohl gibt er Jedem, der mit ihm spricht, Recht, und wenn das nicht geht,

z. B. wenn zwei mit ihm reden, wovon Jeder anderer Meinung ist, so beklagt er die Spaltungen der Zeit im Allgemeinen. Niemand geht so nett um den Hals gekleidet, als der Einnehmer. Immer hat er eine schneeweiße Halsbinde an mit kleinen bürgerlichen Vatermördern. An den Schläfen liegen die kurzen Häärchen eins am andern genau so, wie er sie am Morgen mit dem nassen Kamm gekämmt hat. Der Einnehmer nennt die kriegführenden Mächte, und überhaupt die Nationen gern beim Individuum, z. B. der Franzose, der Türke. Er tritt mit einem kurzen, die Aufmerksamkeit auf sich ziehenden Husten ins Zimmer, und streicht dabei einmal mit dem Finger unter der Halsbinde her. Er kann das Ultrawesen in den Tod nicht leiden, und wenn irgendwo die Marseillaise gespielt wird, so kriegt er das Zittern. Seine Frau sagt oft zu ihm, eh er in's Kränzchen geht:

»Ludwig! ich bitte dich um Gotteswillen, sprich ja nicht so frei! Renne dich nicht ins Unglück! bedenke deine Frau und Kinder!« dann macht der Einnehmer ein wichtiges Gesicht, nnd sagt: »Suschen, das verstehst du nicht, das geht heut zu Tage nicht anders.« —

Hier schenkte ich dem Adjunctus des Mädchenschullehrers aus Schinkenburg ein Glas Wein ein, und bat ihn, fortzufahren.

Zwölftes Kapitel.

Der Adjunctus gerieth immer mehr in Eifer, und fuhr fort:

»Weil ich doch da eben von der Marseillaise gesprochen habe! Wie die eben wieder aufgekommen war, da kamen einmal die Bergleute nach Schinkenburg, und gaben ein Concert auf dem Rathhaussaale.« —

Bei uns, sagt' ich, wachsen sie wild auf der Straße.

— »Und in dem Concert haben sie auch die Marseillaise gespielt, welche die Schinkenburger noch nicht gehört hatten. Wie der Einnehmer hörte, daß es die Marseillaise wäre, hat er vor Alteration Leibschneiden bekommen; der Notar hat angefangen, zu tanzen; auf dem dritten Rang wurde Hurrah! gerufen, und zwei Bänke brachen entzwei, und da wurde n o ch einmal Hurrah! gerufen, und der Herr von Römfeld und alle Schriftsässigen sind zur Thüre hinausgepelzt worden. — Desselbigen Abends sind auf dem Rathskeller 400 Bouteillen Bier getrunken worden!

Was Sie sagen! rief ich staunend, um den Adjunctus zu ermuthigen. Der aber fuhr fort:

»Der Notar Bachmann ist ein dicker jovialer Mann, und immer herzlich vergnügt.

Mein Minchen (sagt' er oft, und schwang dabei heiter das Bierglas) soll Niemand Anderes, als ein Liberaler, haben. Der Liberale aber, der die Minchen haben sollte, das ist der Heinrich Lambert. Wenn der Notar ein paar Heller mehr hätte, so wär's ihm zu gönnen. Aber seine Fröhlichkeit verläßt ihn nie, und er wäre nicht seliger, als wenn er, mit einem Glase in der Hand, in einem Luftballon säße. Er spricht viel, und singt auch manchmal noch ein Studentenlied. Hat er erst eine Bouteille Bier getrunken, so kann man mit ihm machen, was man will. Er ist ein prächtiger Kerl, der Notar, und ich mag ihn wohl leiden!

»Der Heinrich Lambert, das ist der Rektor. Der und Notars Minchen sind von Klein auf immer zusammen gewesen, und haben sich immer recht lieb gehabt. Es war einmal eine Zeit, da hielt sich der Herr Heinrich Lambert noch sehr retiré, weil ihm nemlich der Notar einmal durch die Tulpe zu verstehen gegeben hatte, daß, ehr der Heinrich Rektor wäre, an gar kein Verhältniß zu denken wäre. Das hat das arme Minchen manchmal gegrämt, und sie hat oft zum Heinrich gesagt: »ach Heinrich! wenn wir doch nur erst ein Verhältniß hätten! aber sei nur um Gotteswillen immer recht liberal, Heinrich, sonst wird nie was draus, du weißts ja!« Bald nachher war's aber richtig, und da haben sie den 1. April als den Hochzeitstag bestimmt.

Hier trank der Adjunctus das zweite Glas, und fuhr fort:

»Nicht lange nachher, wie der Spektakel mit der Marsellaise gewesen war, da kam einmal der Postmeister zum Gütig, und sprach, »wünsche wohl geruht zu haben, Herr Doktor!« Und da hat der Doktor gesagt: »Gleichfalls!« Und hernach haben sie davon gespro-

8*

chen, sie wollten ein Kränzchen zusammen halten, ein engeres, als die teutsche Assemblee, die wäre zu gemischt, und die Guten müßten sich jetzo zusammenthun. »Aber was trinken wir in dem Kränzchen?« sprach der Paps, und da hat der Gütig gesagt, es müßte fest gemacht werden, daß blos Bier getrunken würde, und nichts anderes. — Und das sind sie auch Alle zufrieden gewesen, und der Gütig hat nachher die Anderen auch hinzu gezogen: den Salbader, den Einnehmer, den Notar, den Rektor, den Zwieback, den Schwindel, und den Bierling. Da waren's ihrer neun. »Die Zahl der Musen!« rief der Heinrich Lambert, was sich aber der Einnehmer sehr verbeten hat. — Der Salbader ist eigentlich ein Liberaler. Wenn er spricht, so ist es so, als wenn er gar nichts sagte. Die Schinkenburger halten ihn deswegen sehr hoch, denn er bleibt immer derselbe, und wie sich einer, dem's zu heiß ist, nach einem Trunke Wasser sehnt, so sehnen sich die Schinkenburger nach dem Salbader. Man sollte meinen, sie hätten den Salbader längst ausgetrunken. Aber der Salbader ist unerschöpflich, und fängt immer wieder von vorn an. Wenn der Paps mit der Faust auf den Tisch schlägt, dann spricht der Salbader: »Nein, das geht nicht, siehst du, ich will dir sagen, das müssen wir so machen.« Und nun kommt etwas, welches vier Ellen breit, und zwanzig Ellen lang ist, und was weder Sacklinnen, wie dem Postmeister seines, noch Mousselin, wie dem Doktor seines, noch Bettlinnen, wie dem Einnehmer seines, sondern gar nichts ist. Und wenn dann der Salbader fertig ist, dann sprechen sie Alle: »der Salbader hält sich doch immer auf dem rechten Wege.« Und am andern Tage steht die Salbaderei im Zwieback seinem Volksblatt unter einer allgemeinen Ueberschrift.

Der Zwieback ist nemlich der Redakteur vom Schinkenburger Volksblatt. Der Schwindel ist der Buchhändler, und der Vierling ist ein Particulier. Er ist ein stiller Mensch, sitzt am Tische im Kränzchen, auf beide Fäuste gestützt, und denkt sein Theil. Er hat finstere Augen und einen dünnen Schnurrbart, und spricht kein Wort, sondern brummt nur manchmal. »Aber dieses Brummen! (hat der Heinrich gesagt) dieses Brummen!« — Nun was ist denn dieses Brummen? Der Vierling ist freilich ein barbarischer Kerl, und der Notar hat ihn auch einmal einen Malitiosus genannt, aber so gar erschrecklich ist er doch anch nicht. Er hat doch einmal auf einem Dampfschiff gefahren, und da hat er doch, so viel ich weiß, kein Unglück angefangen, und in Schinkenburg hat er auch noch Niemanden gebissen — Der Schwindel und der Vierling sind auch bei der Schinkenburger Stadtmiliz. Die besteht aus 50 Schinkenburgern, Jung und Alt. Die Schinkenburger suchen eine Ehre darin, wenn Jemand bei der Stadtmiliz ist. Wer keine Lust hat, darin zu sein, der wird 'rausgestoßen.«

Hier unterbrach ich den Adjunctus wieder mit einem Glase Wein, und sagte: verehrtester Herr Adjunctus! bitte bitte! erzählen Sie mir etwas von Ihrer Stadtmiliz.

Dreizehntes Kapitel.

Uud der Adjunctus des Mädchenschullehrers aus Schinkenburg fuhr fort:

»Neulich Abends, als die Jungen auf der Gasse spielten, und die Leute vor der Thüre saßen, da hat's auf einmal einen fürchterlichen Lärm gegeben. Alles lief durcheinander, weil nemlich auf dem Markte der Schmied Kesselmann stand, und in ein unbändiges Horn bließ, und die Jungen versammelten sich um ihn, und riefen: Hurrah! denn das Horn war ein Zeichen daß morgen die Stadtmiliz exerciren sollte. — Und desselbigen Abends sind auf dem Rathskeller 200. Bouteillen Bier getrunken worden. Und als nun der andere Tag kam, da hatten die Jungen keine Schule, weil nemlich die Stadtmiliz auszog zum Exerciren. Und der Schmied Kesselmann stellte sich wieder auf das Markt, und bließ sehr stark, und ging darauf nach Hause, nnd zog sich an. — Nicht lange nachher kam einer angejagt, hast du nicht gesehen, so wirst du noch sehen! in Carriere. Das war der Major Gütig. Was machte der für ein Vaterlandsgesicht! Auf dem Markte hielt er still. Aber die Stadtmiliz war noch nicht da, weil der Kesselmann eine halbe Stunde zu frühe geblasen hatte. Es dauerte nicht lange, da that sich ein paar Häuser vom Major eine Hausthür auf, und es kam ein Mann heraus, der so aussah, als wenn er zum Major gehen, und sich auch versammeln wollte. Da rief der Major: »Gardist Krautenfeld!« (denn es war ja, weiß Gott, der leibhaftige Einnehmer!) »Gardist Krautenfeld (rief der Major), es freut mich, daß Sie so präcis sind! Stellen Sie sich hierher!» — »Sehr wohl!« sagte kurz und geschwind der Einnehmer, und machte ein todverachtendes Gesicht. Wer's nicht wüßte, würde den Einnehmer in seiner Uniform gar nicht kennen. Sein Tschacko sitzt ihm so hoch auf dem Kopfe, als wenn einem der Kamm gestiegen ist, oder als wenn er etwas unter dem Tschacko hätte.«

Ich wette, sagt' ich, es ist ein Wurstenbrod.

»Man muß, fuhr der Adjunctus fort, im Dienste nicht Alles bemerken. Auf dem Tschacko sitzt der Haarbusch. Der Einnehmer macht sich nichts draus, daß der Haarbusch so mutzig aussieht, und daß er oben abgebrannt ist.

Denn das war im Dienste geschehen, wie der Einnehmer mit dem Tschacko über das Licht kam. Aber es war unrecht, daß seine Frau mit dem Haarbusche die Bouteillen rein gemacht hatte, und der Einnehmer hat auch damals sehr gescholten. Schade, daß dem Einnehmer die Aermel zu lang sind. Aber er schneidet sie nicht ab, wegen der Kälte. Die kurzen manschesternen Hosen trägt er auch bei der Uniform. Es ist auch gut, wenn man den Gardist Krautenfeld nicht von hinten besieht, wegen der Taschen. — Mittlerweile kamen nun anch die Andern, ungefähr 30 an der Zahl. Da ließ sie der Gütig einen Kreis schließen, und sprach ungefähr, so: »Kameraden! es freut mich, daß ihr gekommen seid! Ihr kennt unsern großen Zweck. Zwar ist es zunächst der, Ordnung in Schinkenburg zu halten, und daß die Jungen keine Kanonenschläge mehr legen.« — (Hurrah!! riefen die

Jungen hintern zweiten Gliede). »Aber nicht minder groß ist der Zweck, Schinkenburg gegen äußere Feinde zu vertheidigen, — und sogar gegen die Türken. Ohne Zweifel ist euch die Absicht bekannt, in welcher ich euch hier habe zusammenblasen lassen!« (»Jungen wollt' ihr still sein?« rief der Einnehmer mit einem barbarischen Gesicht hinter sich). »Das Gesetz hat uns Waffen gegeben, und uns zu Waffenbrüdern gemacht. Wir sind Alle Waffenbrüder, liebe Mitbürger, Alle, wie wir hier sind, sowohl Schriftsässige, als auch Amtssässige!« (hier kamen dem Notar die Thränen in die Augen, aber der Einnehmer machte ein Schafsgesicht). »Uebung jedoch ist die Mutter der Künste, und wenn wir Schinkenburger nicht exerciren, so werden wir in Zeiten der Gefahr, die Gott verhüten wolle, leicht besiegt, in die Flucht geschlagen, oder gar getödtet werden! Darum wollen wir heute hinauszíehn — der Schwanwirth ist ohnehin schon mit frischen Wecken draußen — und wollen uns für den Zweck unseres Daseins vorbereiten. Kameraden!!! es wird diesmal nicht geschossen werden« (der Einnehmer athmete tief auf), »sondern es werden blos einige Handgriffe mit den Gewehren, und einige Schwenkungen gemacht werden, welche das letzte Mal mit so sehr gutem Erfolge executirt wurden. — Oeffnet den Kreis! linksum kehrt! vorwärts marsch!!!« — Und da drehte sich jeder Schinkenburger auf dem Absatz herum, und ging gerade aus, und es gab keine Weltgegend, wo nicht ein Schinkenburger drauf los marschirte. Aber da hätte einer den Gütig sehen sollen! Er hat sich so alterirt, daß er nicht gewußt hat, was er nun commandiren sollte, weil Alles aus den Fenstern guckte. Selbst der Notar marschirte lustig weiter, nach Südwest, und wollte sich todt lachen. Da rief der Major endlich: Halt!!! Da standen die Schinkenburger. Sie sagten damals Alle, der Gütig hätte sich vercommandirt gehabt. Und als sie nun wieder zusammen waren, da hat der Gütig noch einmal die Namen verlesen, ob sie auch Alle wiedergekommen waren, denn die Stadtmiliz wäre richtig nach Hause gegangen. — Und nun sind sie hinausmarschirt auf die Kuhhute, der Schmied Kesselmann voran. Auf dem Wege kam der Notar neben den Einnehmer zu gehen. »Wenn's nur keine Unruhen gibt (sagte dieser), meinen Sie nicht, Herr Notar? ich habe so Leibschneiden.« — »Da trinken Sie einmal! (sagte der Notar, und holte doppelten heraus), aber treten Sie ihren Vordermann nicht auf die Waden, der hinkt, wie Sie sehen.« — »Herr Major! (schrie der Hintermann) ich kann's hier vor dem Einnehmer seinen Taschen nicht aushalten, ich habe schon ganz blaue Flecken vor den Schienbeinen, ich glaube, er hat Rinetten drin!« — »Still unterm Gewehr!!« rief der Major, und da waren sie Alle still. Nur der Notar hat dem Krautenfeld doch noch eine Schnurre ins Ohr erzählt, wofür aber dieser keinen Sinn hatte. — »Halt! (schrie der Gütig auf der Kuhhute), Gewehr ab! Ruht euch!« — Und wie sie sich nun alle geruht hatten, rief der Gütig wieder: »Peter! bring die Seiler her!« der Peter war nemlich ein Unteroffezier, und an den Seilern haben die Schinkenburger exercirt, links schwenkt! und rechts schwenkt! Wenn ich den Einnehmer gesehn hätte, ich hätte geweint. Er ging ziemlich am Ende, und hat entsetzlich laufen müssen. Das Wurstenbrod ist dem Einnehmer bei dem Laufen verloren gegangen. — Desselbigen Abends, wie Alles wieder zu Hause war, sind auf dem Rathskeller 300. Bouteillen Bier getrunken worden. —

Wie sich die Schinkenburger Stadtmiliz eben gebildet hatte, und (wie der Salbader gern sagt) noch nicht ins Leben getreten war, da hat einmal des Morgens beim Einnehmer ein Junge angeklopft, und, wie der Einnehmer, was er gern thut, barsch herein! gerufen hat, da hat der Junge ein Compliment vom Herrn Doctor Gütig bestellt, und der Herr Einnehmer möchte ihm doch die Ehre schenken, und heute Mittag präcis um 1. Uhr zum Essen kommen. — Werde nicht ermangeln, hat da der Einnehmer gesagt. Kommt noch Jemand hin? — O ja, noch mehr als 20! — Da hat der Einnehmer den Kopf geschüttelt, und gedacht: na! wenn das gut geht mit dem Gütig? aber wir wollen uns nach ein paar Jährchen 'mal wieder sprechen. Und nun hat seine Frau reine Wäsche zusammengesucht, und dem Einnehmer ein weißes Halstuch, und eine reine Weste auf den Stuhl gehängt. Schlag 1 Uhr ist der

Einnehmer mit glatt gekämmten Haaren in des Gütigs Stube getreten. »Ei Herr Einnehmer! hat da der Gütig gerufen, warum denn so geputzt?« Und darauf hat ihn der Gütig am Hals gekriegt, als wollt' er ihn todt dämpfen, und ihn an die Wand gestellt, und ihm einen Strich mit Kreide über dem Kopf hergezogen. Weiter war auch Niemand da, und der Gütig stocherte sich die Zähne. Da ist der Einnehmer wieder sachte nach Hause gegangen, und hat sich geschämt, weil er nämlich nicht zum Essen bestellt worden war, sondern zum Messen. Der Notar ist bald geplatzt vor Lachen, und hat den Einnehmer beinahe ein ganzes Jahr damit geärgert.«

Hier trank der Erzähler ein Glas Wein, und wurde feuriger. Fahren Sie gefälligst fort, fortzufahren, verehrtester Herr Adjunctus, sagt' ich.

Vierzehntes Kapitel.

Der Adjunctus klatschte einmal in die Hände, und fuhr pfiffig fort:

»Des Notars Mädchen, die Liesbeth, kam die Burgstraße herunter, mit einem großen Korb, unter dem Armen. Darin war Bier für's Kränzchen. Der Notar ließ sie zu seiner Stubenthür herein, pflanzte die Bouteillen auf, 9 an der Zahl, und Einen großen Becher, und steckte die Lichter an, obgleich's kaum dämmerig war. Es war ganz frischer Sand gestreut. Der Notar hat die Stube besonders eingerichtet zum Kränzchen. In der Mitte steht ein runder Tisch, und neun Stühle. Ueber der Stubenthür ist eine Hausnummer angenagelt, d. h. der Einnehmer hat sich blamirt, wie er meinte, es wäre eine Hausnummer. Aber die Nummer 39 bedeutet den §. 39 aus der Constitution, wonach jeder reden kann, was er Lust hat. Den hatte sich der Notar da angenagelt, wegen der Unterhaltung im Kränzchen. Vor dem Sessel stand eine Glocke auf dem Tische für den Präsidenten. Das ist allemal der, bei welchem das Kränzchen ist. Auf einmal ist die Thür aufgegangen, und der Postmeister hat darin gestanden mit einem gedankenschweren Gesicht. Wie ihm der Notar gesehen hat, da hat er ein Schnippchen geschlagen, und hat gesungen: Sabong, sabong, sabong, sabong u. s. w. Treten Sie näher, liebster Postmeister! — Der Paps hat sich kaum gesetzt, da klopft's wieder an. Es war der Einnehmer. Der sagte, wie er herein kam, zum Notar: »weil Sie so befohlen haben.« Das sagte der Einnehmer überhaupt gern, und der Gütig hat auch einmal deswegen zum Einnehmer gesagt, wie ihn der fragte: was befehlen Sie? »Einnehmer, wir sind jetzt nicht im Dienste, und da habe ich nichts zu befehlen, da sind wir alle gleich.« — Und hernach sind die Anderen auch gekommen, auch der Heinrich Lambert. Ich weiß auch, warum der gerne kam. Und wie sie Alle längst zusammen waren, da hatte der Vierling noch immer kein Wort gesprochen, sondern saß da, mit dem Gesichte auf der Faust, und dachte sein Theil. Was hast du vor, Vierling? fragte der Postmeister. Aber da hat der Vierling gebrummt. »Ist Ihnen vielleicht nicht recht wohl, lieber Herr Vierling?« hat darauf der Einnehmer gefragt. Da hat der Vierling wieder gebrummt. »Vielleicht Zahnweh? thut mir außerordentlich leid.« — Auf einmal ist der Vierling aufgesprungen, und hat sie Alle nach einander angesehen, so daß dem Einnehmer ganz angst geworden ist, und hat gesagt: »Ihr wißt alle noch von nichts! Ja! ich habe Zahnweh!« — Aber sie merkten's Alle, daß dem Vierling was vor

9*

den Kopf gelaufen war. Da es aber Niemand erfahren hat, so weiß ich's auch nicht. Der Vierling dachte sein Theil. Darauf hat aber der Paps geklingelt, und hat gesagt: er wollte eine Motion machen. »Verehrteste Freunde! (hat darauf der Postmeister gesagt, und rings umher geschaut) was schreiben wir heute für ein Datum?

Der Einnehmer holte seine Uhr heraus, und sagte: den 21. hujus.

Und da sagten sie Alle: jawohl!

Warum schreiben wir heute den 21sten? schrie der Paps.

Keine Antwort.

»Turn und Taxis! Warum schreiben wir heute denn 21. hujus?« fragte der Postmeister wiederholt. »Die Antwort ist: weil wir alle Narren sind. Verehrte Brüder! Bekanntlich hat der Julius Cäsar, als er gerade nicht wußte, was er thun sollte, einen Kalender gemacht. Er hat sich aber dabei verrechnet. Da hat der Pabst Gregor den Kalender verbessert, und der Kaiser Rudolph hat ihn bestätigt. Weil aber dieser Kalender von einem Ketzer war, so hat der Professor Weigel wieder einen andern gemacht, den hat das Corpus Evangelicorum bestätigt, und endlich ist der päbstliche Kalender auch von den Protestanten zur Befolgung angenommmen worden. Aber ihr Mitbürger! ich frage nun, was geht uns der Julius Cäsar, der Pabst Gregor, der Kaiser Rudolph, der Professor Weigel, und das ganze Corpus Evangelicorum an? Was haben sie uns zu befehlen, uns freien Schinkenburgern? Ich erkenne keine von diesen Behörden als meine verfassungsmäßig vorgesetzte Behörde an. Wollen wir uns wie Sclaven binden? Wollen wir, wie die Papagayen, Alles nachsprechen, was uns Andere vorsprechen?

Geliebte Mitbürger! Ich meine, es könnte Jeder schreiben, was er wollte, und brauchte heute gar nicht den 21. zu datiren. Wer will uns zwingen? Ich frage: wer?«

Hier schlug der Postmeister auf den Tisch, und guckte wild um sich her.

Turn und Taxis! wer will uns zwingen? rief er von Neuem.

Der Einnehmer sagte: der Paps möchte doch nicht so fluchen.

Wer mit mir denkt, schrie der Postmeister, der stehe von seinem Sitze auf!

Und da sind sie Alle aufgestanden, aber dem Einnehmer hat's, wie er aufstand, vor den Augen, wie Schneegewimmel im Sturme, geflirrt, und es kam ihm so was vom Finanzcollegium in den Sinn, aber er war sichs nicht recht klar.

Drauf sprach der Postmeister wieder: daran erkenn' ich euch! Es fragt sich nun weiter:

wollen wir früher datiren, als die Aristocraten, oder später, d. h. vorwärts?

Vorwärts! schrie das Kränzchen, weils nämlich lauter Liberale waren. Ich schreibe den 1ten März, flüsterte der Zwieback. Ich den 15ten März, flötete der Gütig. Und ich den 1sten April lachte der Notar; denn Einer überbot den Andern. Und dem Einnehmer haben sie zugerufen, und sind stark in ihn getrunken: er möchte den 1ten December schreiben, und der Salbader hat's ihm auch so plausibel gemacht, daß ers annehmen mußte!

Aber wie nun der Postmeister das mit dem Datum aufgebracht hatte, da ist die Minchen hereingekommen, und hat frisch eingeschenkt, und der Einnehmer hat ihr gesagt: Das Bier schmeckte noch einmal so gut, weil sies nämlich einschenkte. Und wie die Minchen noch in der Stube war, da hat der Notar gefragt, ob noch einer von den Herrn eine Motion zu machen hätte? Da aber ist auf einmal der Heinrich aufgesprungen, und hat die Minchen an der Hand gefaßt, daß sie ganz roth geworden ist, und hat gesagt: Versammelte Mitbürger! ich habe noch eine wichtige Motion zu machen. Da nämlich mein künftiger Hr. Schwiegerpapa, der Hr. Notar, heute bereits den 1sten April schreibt, und es schon lange richtig gemacht hat, daß am 1sten April meine Verlobung mit der Minchen sein sollte, so wollt' ich drauf antragen, daß der Pfarrer geholt würde.

Da haben sie Alle gelacht, und der lustige Notar hat richtig den Abend noch den Pfarrer kommen lassen, und der Rector ist copulirt worden, und das ganze Kränzchen war zu Gaste, und da haben sie jubilirt, bis spät in die Nacht. —

Den Einehmer aber hat der 1. December sehr gewurmt, und seine Frau hat's ihm gleich angesehn, wie er nach Hause kam. Aber er hat nichts gesagt, sondern blos die Nachtmütze in die Ecke geworfen, und mit weicher Stimme gesagt: ach: ich hatte mich auf unsere silberne Hochzeit so gefreut, Suschen. Nun ist sie schon vor vier Wochen gewesen. Ja! man erlebt jetzt viel!«

»Vor acht Tagen, verehrtester Herr Doctor (fuhr der Adjunctus fort), hat die Minchen einen kleinen Rector geboren, und morgen ist Kindtaufe. In der Schachtel, die ich hier unterm Arme habe, ist ein Biskuitkuchen, und da soll Ihr Gedicht darauf gelegt werden. Der kleine Lambert wird heißen nach mir, seinem Pathen, Lorenz. —«

Ich dankte dem Adjunctus des Mädchenschullehrers aus Schinkenburg für seine Beschreibung, und bat ihn, sämtliche Schinkenburger zu grüßen, und mich bestens zu recommandiren. — »Danke, danke! (rief er unter Bücklingen, und lief rückwärts zur Thüre hinaus). Aber der Herr Doktor werden doch nichts wieder sagen? ich habe da so Manches geplaudert, und ich könnte in des Teufels Küche kommen.«

Behüte! rief ich. — Der Adjunctus verschwand. —

Nun hab' ich freilich dem Leser dennoch die ganzen Geschichten wieder erzählt. Indessen will ich ihn mit Rücksicht auf des Adjuncti Ruhe und Zufriedenheit inständigst gebeten haben, nichts weiter zu erzählen.

Fünfzehntes Kapitel.

Dieses gegenwärtige Kapitel schreibe ich am zweiten Pfingsttag Abends, in einer Gartenlaube. Niemand stört mich hier, ausgenommen das Blüthenblatt, das mir auf das

Papier fällt, denn die Soldatenlieder, die von der nahen Thorwache herüberschallen, hör' ich gern. Sie ziehen wie ruhige, stille Wolken, durch den rosenrothen Abend. Die Bauern haben eine eigene Manier, mit der sie singen. Der Residenzaffe trällert schon am Morgen Auber'sche Melodieen, wenn ihm auch das Messer des Teufels schon an der Kehle sitzt, aber der Bauerngesang in der Ferne lautet, wie Frieden, wie Heimath, wie Feierabend, wie Zufriedenheit. Wenn eine gute Theatersängerin singt, so klingts, wie Paganini- und Harmonicaglocken. Die Lieder, die ich jetzt höre, klingen wie Dorfglocken; und ein schöner warmer Sommerabend mit einer läutenden Dorfglocke ist wie ein Glas goldenen Rheinweines unter Gesprächen traulicher Erinnerung. — O wie schön ist's um mich her, und über mir, und unter mir! der Leser, der im Schlafrocke auf dem Sofa liegt, begreifts gar nicht. Anf Naturschilderungen gibt er wenig. Er tadelt sie, wenn sie schlecht sind, ohne sie zu loben, wenn sie gut sind. Es ist ihm z. B., wenn in einem Roman ein Gewitter geschildert wird, nur darum zu thun, ob just ein Gewitter war, oder nicht. Er hat daher schon am ersten Donnerschlage genug, und nimmt hernach keine Notiz mehr davon, der Autor mag blitzen und toben, wie er will. Auch diesen Abend müßt' ich, wenn er nur einigermaßen darauf reflectiren sollte, mit Brillantfeuer malen. Den Pinsel müßt' ich in die westliche Purpurgluth tauchen, und auf der Pallette das Rosa der Dächer mit dem Blau der fernen Gebirge und dem fetten Grün der Bäume mischen. Componirmaschinen müßt' ich erfinden, welche das süße Gewirre von Melodieen, die mich umziehen, sofort auf Noten brächten. Grobe Coulissenpinsel, Farbentöne, wie Trompetentöne, müßt' ich nehmen, und dem Leser mit Vehemenz in das indolente Ohr schreien: dieser Abend ist auf Ehre! prachtvoll! — Aber nein, dieser Abend ist zu träumerisch, als daß ich ihn so mißhandeln sollte. Er ist die schwärmerische, und im Glauben an ein Wiedererwachen hinscheidende Seele des sterbenden Tages. — Lieber, stiller Abend, auf dich freu' ich mich immer, wie ein Kind, wenn die Mutter nach Hause kommt, und ich möchte dich immer fragen: was bringst du mir mit?

Ziest über die Fluren
  So wonnig und hold,
Mit purpurnen Spuren,
  Du abendlich Gold!

Kömmst alle Tag einmal
  Mit leisem Schritt,
Und bringst mir doch keinmal
  Mein Liebchen mit! —

Es ist unbegreiflich, warum die Soldaten auf der Wache allein Saldatenlieder singen sollen. Ich will auch einmal eins machen. — —

Die Trompete rief uns zum blutgen Scharmützel — — —

Da sitz' ich, und kann nicht weiter. Weiß denn der geneigte Leser gar keinen Reim auf »Scharmützel«? Philipp Braun, weißt du keinen? —

Die Trompete rief uns zum blutigen Strauß,
Mit Schlachtgesang kehren die Reihen nach Haus.
Nun freue dich, Liebchen, nun weine nicht mehr!
Dein Treuer kommt wieder mit Lieb' und Ehr'!
Lustig ist das Soldatenleben,
Lustig Soldatentod!

Der Leser mach's besser.

Doch Liebchen bekümmerte sich —
Das geht schwerlich. —

Doch Liebchen kannte den Treuen nicht mehr.
O weh, du Bursche mit Lieb' und Ehr'!
Du wirst ja so still, du wirst ja so bleich?
's giebt Mädel genug im deutschen Reich!
Lustig ist das Soldatenleben,
Lustig Soldatentod! —

Die Trompete ruft zum blutigen Strauß,
Mit Schachtgesang ziehen die Schaaren hinaus.
Hurrah! du Treuer! — das bleiche Gesicht
Zerreißet die Kugel, das Auge bricht —
Lustig ist Soldatenleben —
Lustig Soldatentod. —

Der Himmel umzieht sich mit Wolken. Auf dem Heimwege hoff' ich noch ein Soldatenlied heraus zu klügeln. —

Leb wohl, mein Liebchen, weine nicht!
Ich muß ja fort, ich muß.
Horch, die Trompete ruft zur Pflicht,
Gieb mir den letzten Kuß!

Der Krieger muß hinaus in's Feld,
Mach ihm das nicht Herz schwer!
Ich gehe ja nicht aus der Welt,
Drum weine nun nicht mehr!

Bald, Liebchen, ist der Frieden da,
Dann kehr' ich heimathwärts.
Nicht jede Kugel tödtet ja,
Nicht jede trifft in's Herz.

Vergäßest du, mein Liebchen, mich
Daheim bei Spiel und Scherz, —
Die Kugel, Schatz, erschlüge mich,
Die Kugel träf' in's Herz!

Mich amusiren die Kugeln, die ich durch die ruhige Abendluft sausen lasse. Es ist wahrlich so still, wie an einem Sterbebette, und so warm, wie am Herzen der Natur.

Man soll heutiges Tages froh sein, wenn es still ist und warm, denn in der Welt ists windig und kalt.

Ach es ist windig, sehr windig in der Welt, lieber Leser, und das macht das Wandern auf der Erde beschwerlich. Zu Einem, der zufällig auf meiner Wanderung zu mir stieß, sagte ich: es ist so stürmisch, laß mich einkehren bei dir im Hause der Freundschaft! Er sagte: soll mir eine Ehre sein! Aber als wir im Hause waren, pfiff der Wind durch alle Ritzen und Löcher. Das war sehr windig.

Zu einem Andern sagt' ich: es ist so stürmisch, gieb mir ein Obdach in deiner Brust! Soll mir eine Ehre sein! sagte er. Aber als ich drin war, pfiff der Wind durch alle Ritzen und Löcher. Das war auffallend windig.

Ein Dritter begegnete mir, der viele Pretiosen an sich hatte, eine diamantene Vorstecknadel und goldene Uhrklunkern. Tausend! was mochte **der** für Geld im Beutel haben! **Nichts** hatt' er drin, sondern der Wind bließ durch die Maschen des Geldbeutels. Das war ein Windbeutel, und die Uhrklunkern waren, wie stille Verdienste, unbezahlt, und die Vorstecknadel war, wie ein Büchermotto, eine geborgte Vorstecknadel. — Das war enorm windig. —

Kalt ist's, sehr kalt in der Welt, und das macht das Wandern auf der Erde beschwerlich. Manchem drückt' ich warm die Hand, und mochte so gerne, daß sie mir wieder gedrückt würde, weil die beiden Hände doch Menschenhände waren. Aber der Eigenthümer der fremden Hand sagte: der freie Mann kennt heut zu Tage keinen Druck. Sackerlot, Herr Postmeister, das war kalt!

Zu einem Andern sagt' ich: ich friere, wärme mich an deinem Herzen! Aber das Herz war zerrissen und die Risse waren mit Zeitungspapier schlecht zugeklebt, und ich fror dabei, wie ein Hund. Das war herzzerreißend kalt.

Zu einem Dritten sagt' ich: ich friere, öffne

mir deine Brust! Aber über die Brust war ein Panzer gelegt, denn der Mann stand bei den Cürassieren der Bürgergarde. Er öffnete mir bloß die Verfassungs-Urkunde. Das war bitter kalt!

Zu einem Vierten sagt' ich: ich friere, laß mich einkehren in deinem warmen Herzen! Aber als ich hinein kam, war Niemand darin zu Hause, sondern Alles war ausgegangen, und deshalb war auch kein Fünkchen Wärme darin. Das war todt kalt! —

Mich friert!

Es ist, wärend ich das Vorstehende in das Manuscript eintrage, schon dunkel. Ein Gewitter ist im Anzuge, und der Sturm braust. Die Sterne gehen unter. — Der Mensch sündigt, wenn er bitter und kalt ist. Aber ist es auch die ganze Welt, so habe ich dich doch, heilige Dichtkunst! Wärme du mich,

10*

und gehe du mit mir in die Träume dieser Nacht. Dann mag es blitzen oder stürmen, und Winter sein in der Natur und in den Herzen. Du bist der Frieden im Sturme, du bist der Mond über dem Gewitter, und meine Liebe ist deine Schwester. — Ob mein Mädchen schon schläft? ob sie von mir träumt? ich will ihr eine Serenade singen, und der Sturm nehme sie auf seine Flügel, und trage sie zu ihrem Ohre.

Dunkel ist die Nacht,
Nur die Liebe wacht,
Nur die Liebe schläft nicht ein.
Bist du wach, mein Mägdelein?

Grausig weht der Wind,
Liebe wacht und sinnt,
Träumt wohl süße Träumerein,
Bist du wach, mein Mägdelein?

Wolken, schwer und dicht,
Rauben Sternelicht,
Liebe leuchtet Sternenschein,
Bist du wach, mein Mägdelein?

Horch, kein Schall erklingt!
Nur die Liebe singt,
Und die Liebe lauscht allein,
Bist du wach, mein Mägdelein?

Sechzehntes Kapitel.

Es sind wieder, wie immer auf Pfingsten, viele Göttinger Studenten zu Kassel. Die Göttinger Studenten sollten, wenn sie die Philister bekehren wollen, bessere Sujets von Aposteln hierher schicken, als sie zu thun pflegen. Denn die Apostel sprachen am Pfingsttage mit feurigen Zungen, dagegen die Studiosen, die hier sind, mit lahmen. Aber ist es ihnen zu verdenken, den fleißigen, wenn sie, um nicht vom Sitzen in der Studierstube steif zu werden, nach Kassel fahren, um sich hier in den Wein- und Bierhäusern im Stehen zu üben? Sie müssen horrend gesessen haben!

Pfui! wenn sich die akademische Freiheit im Graben wälzt, und den Straßenjungen einer Residenz zum Hohne wird! —

Ich habe in Marburg und in Göttingen studiert. Beide Orte unterscheiden sich sehr. In Göttingen ists kalt, fein und stolz. Ueberall riecht's nach Professoren und Heine'schen Personalwitzen. In Marburg ists warm, grob und zutraulich. In Göttingen gedeihen Kameele, Heidekraut, Professorentöchter und Würste; in Marburg frohe Bursche, Maiblumen, liebe Mädchen und irdene Waaren. Ein Ball in Göttingen ist ein Handschuh, den die Damenwelt in den Circus der gräßlichsten Langweile wirft, und den die Männerwelt mit Schaudern zurückholt. Ein Ball in Marburg ist eine lachende Rose, welche die Studenten den Marburger Mädchen schenken. Göttingen hat eine Universität, Marburg ist eine, indem hier Alles, vom Proroktor bis zum Stiefelwichser, zur

Universität gehört. In Göttingen geht das Laster in Glacéhandschuhen nnd Vatermördern einher, und wird Herr Baron genannt; in Marburg geht es verachtet über die Gassen. Durch die Marburger engen Straßen weht der fromme Geist Philipps des Großmüthigen, und die alten hohen Häuser machen ehrwürdige säcularische Gesichter, — aber durch Göttingen weht englische Seeluft und hannöverscher Noblessenwind.

Und doch hab' ich in Göttingen die gemüthlichsten Stunden verlebt. Es war Abends spät, als ich zu Fuße dort ankam, und mein Zimmer in der Allee, im Hause des Schneiders Grundewald (der Leser besinnt sich auf diesen Namen vergebens) zwei Treppen hoch bezog. In der Stube sahen mich die todten Wände verwundert an. Niemand war mir nahe und vertraut, als mein Ränzchen, das ich auf die Erde gelegt hatte. Werde ich (so fragte ich die fremden Wände) zwischen euch lachen oder weinen, fröhlich sein, oder traurig? — Sie waren stumm wie die Zukunft, und das dumme Einerlei des Tapetendesseins lachte mich unausstehlich an. Ich ging an's Fenster. Namen früherer Bewohner, gekreuzte Schläger, Eselsköpfe, Mädchennamen, z. B. Vivat Louise! u. s. w. waren in's Glas geschnitten. Diese Zeichen erscheinen mir, wie Menschenspuren in der Wüste. Ich legte mich ins Fenster. Der Sturm hetzte die Wolken über den Mond. Da plötzlich hört' ich zum ersten Male jene wunderbaren Töne, mit denen die Hornisten des Göttinger Militairs den Zapfenstreich blasen. Es sind lang gehaltene, in Kureigenmanier auf und niederschwebende Töne mit einem vollstimmigen Schlußchore. Der Sturm wehte die rufenden Töne der Sehnsucht weit hin durch die herbstliche Gegend, und die Wolken jagten, wie wahnsinnig, hinter ihnen her. Aber die Töne und die Wolken fanden so wenig, wie mein Herz, dasjenige, was sie suchten. Ich sehnte mich nach Menschen, nach einer drückenden Freundeshand. An solchen Abenden legt sich der Mensch recht fromm zu Bette. Ich that es. Im Begriffe einzuschlafen, umsäuselten mich Guitarrentöne, die aus der Stube über mir herab kamen. Eine schöne Baßstimme sang dazu. Beständig jedoch schnarrte eine der Guitarrenseiten auf eine unangenehme Weise. Die Worte des Gesanges, der langsam und feierlich gehalten wurde, lauteten:

Ich hatt' einmal ein Lied,
Das sang ich spät und früh,
Es war ein schönes Lied,
Nach schöner Melodie.

Es klang so stolz und hehr,
Wie himmlisches Gedicht —
Ich sing das Lied nicht mehr —
Vergessen hab ich's nicht. —

Die Baßstimme zog das letzte Wort in der ersten und dritten Zeile jeder Strophe recht lang, und betont' es bitter, als ärgerte sie sich, daß kein weiblicher Reim an der Stelle war. Das Lied klang, wie ein Leben ohne Liebe.

Siebzehntes Kapitel.

Ueber meinem Zimmer war ein Dachstübchen, in welchem ich schon mehrmals schwere Tritte gehört hatte. Am Abend des dritten Tages schallten auf einmal drei ungeheure Schläge durch's Haus. Erasmus hätte sich den Arm aus dem Leibe schlagen können, um dafür eine Tasse Thee hineinzukriegen, aber was half's?

Ich muß mich näher erklären. Schon war ich am dritten Abend im Begriffe, zu der

Stube über mir mit der Diogeneslaterne hin- aufzusteigen, als ich, noch auf der Treppe stehend, sah, wie sich die Thüre der Dachstube aufthat, und der Studiosus der Theologie Erasmus Gabelstich — so hieß der Dachmensch — lang und hager, mit einer Brille und ei- nem großblumigen Schlafrocke aus seiner Thüre heraustrat. In der linken Hand hielt er eine Lampe, welche das blasse Gesicht beleuchtete, und eine Tabackspfeife, an der ein messingener Deckel hing, und sonderbar läutend an den Pfeifenkopf schlug. In der rechten Hand aber trug er eine Klibber Holz, als hätt er eine Katze auf der Spur, die er treffen wollte. Aber er ging blos an das Treppengeländer, und schlug drei große Vehmgerichtsschläge dar- auf, daß es dröhnte bis auf die Hausflur. Auf diese Weise pflegten die Bewohner der Grundewaldschen Dachstube, die immer arme Teufels und genügsam waren, zu klingeln wenn sie etwas haben wollten. Aber, wie gesagt, das Klingeln half nichts, weil's blauer Montag war, und die Grundewaldsche Nadel in der Schenke saß, und soff. Niemand ließ sich hören, weder Christian, der dumme Lehrling, dessen Beine im goldnen Elephanten wankten, statt zur Dachstube zu fliegen, noch das Wasser zum Thee, sondern blos drei neue Schläge, wodurch aber ebenfalls weder Christian aus dem goldnen Elephanten (was erst später geschah) noch das Mosiswasser aus dem Treppengeländer heraus geschlagen wurde.

Ich sagte zum blassen Treppenvernichter, ich wäre vorgestern eingezogen, und wollt' ihn besuchen. Gabelstich machte ein stummes, hölzernes Complinemt, indem er mich in seine Stube führte. Das herunterlaufende Dach schnitt einen Theil der Stube schräh ab, und ließ kaum Platz zu einem Mansardfenster, aus dem man gerade in die Dachrinne sah. In der Stube war ein Sopha, ein Tisch, ein heiseres Schulmeisterclavier, eine Guitarre, ein Paar Noten und Collegienhefte, ein halber Laib Brod, und ein Topf mit Schmalz.

Ich habe schon neulich des Abends, sagt' ich, nachdem wir gegenseitig etwas bekannter geworden waren, Sie singen hören. Die Töne zogen mich an, und wurden mein Führer nach oben.

Die Musik ist meine einzige Unterhaltung, sprach der Theologe, schlug den Schlafrock über den Knieen zusammen, und setzte sich neben mich. Ich gehe selten aus. Rauchen Sie, so will ich Ihnen eine Pfeife stopfen.

Erasmus reichte mir eine mit langen Quasten. Die Pfeife mit dem läutenden Deckel behielt er selbst.

Sie werden sich wundern, fuhr er fort, es ist ein trauriges Leben hier. Nachdem ich zehnmal um den Wall herum gegangen war, hatte ich Göttingen vollkommen satt, und das Einerlei ergriff mich mit so wahnsinniger Gewalt, daß ich wünschte, der Wall möchte nun auch einmal um mich herumgehen, blos damit's Abwechselung gäbe. Doch sind hübsche Partien in der Nähe, z. B. die Rasenmühle, die ich Ihnen empfehle. Weende hat wenig Reiz, und Groonde ist neulich erst durch die Mordgeschichte berühmt worden, die sich da ereignet hat.

Ich bat Gabelstich, mir diese Geschichte zu erzählen.

Vor acht Tagen, begann er, standen in Groonde, das eine kurze Strecke von hier an der Straße liegt, viele Leute vor einem Hause, und schauten neugierig hinein. Das Haus hatte ein Stockwerk, war zehn Schritte lang und eben so viele breit, und mit Stroh gedeckt. In dem Stübchen rechts lag ein Greis mit dem Gesicht auf der Erde, und mit drei großen Axthieben in den Kopf getödtet. Daneben lag im Bette ein altes Mütterchen, gekrümmt, und mit drei großen Axthieben in den Kopf getödtet. Eine kleine Leiter führte hinauf zum Boden. Da lag die Tochter in Bett, ein blühendes junges Weib, aber jetzt sah sie blutig aus, und zerschnitten an Hals und Gesicht, und die schöne Brust war schwarz und zerschlagen, und das große Auge war gebrochen. Bei dem Brunnen im Dorfe stand ein Pfahl, darauf waren fünf blutige Finger abgedrückt. Die gehörten einem jungen Bauern, der seine Kleider da gewaschen hatte, und dieser junge Bauer war, wie sich jetzt entdeckt hat, der Mörder. Zufällig ist er auch der Sohn der beiden alten Leute, und der Bruder der jungen Frau. Das Häuschen wo die fatale Geschichte passirt ist, steht nicht weit von der Chaussee. Es ist noch nicht zusammengestürzt. Ueber der Hausthür steht ein hübscher Vers.

Ich fragte Gabelstich, wie der Vers lautete. Erasmus lächelte, und sagte: der Vers lautet:

»Herr Gott segne dieses Haus,
Und alle, die gehen ein und aus.« —

In diesem Augenblicke sprang mit einem verwehendem Gewimmer eine Saite auf der Guitarre, was mir gelegen kam, da das Gespräch eine unbehagliche Wendung nahm. Gabelstich nahm das Instrument auf mein Bitten, um den Schaden zu repariren.

Ich fragte ihn: wie denn das sellige Leben in Göttingen sei?

Gesellschaften in Familien, z. B. in Professorenhäusern, sind schwer zugänglich, und entsetzlich steif.

Ich werde sie meiden, sagt' ich.

Auch ich that es, rief der Theologe, und doch weiß ich ein Lied davon zu singen.

Haben Sie Verwandte hier? oder sind Sie vielleicht aus Göttingen?

Ich bin aus Lillerode. Aber das launige Schicksal hat einen Onkel von mir zum Professor gemacht, und ihn nach Göttingen gesetzt. Zu diesem mußt' ich in Folge väterlichen Befehles alle vierzehn Tage, Sonntags Morgens hingehen und ihm meinen Respect bezeigen. Bald merkt' ich, daß dieser Onkel, wenn andere Clienten zugegen waren, mich Sie nannte, wogegen er mich, wenn wir allein waren, mit Du anredete, — natürlich, denn ich trage einen braunen, strapezirten Frack. Darauf schrieb ich nach Lillerode, sie möchten mir einen neuen Frack schicken, den wollt' ich alle Sonntag Morgen zum Oheim tragen lassen, wie eine Visitenkarte, aber ich selber würde nicht wieder hingehen. Neulich nun hatte mich der Professor zu einem Theedansant einladen lassen. Nicht ohne Wehmuth besah ich meinen Frack.

Gabelstich holte ihn vom Nagel. Ich sah deutlich, daß kaum noch so viel Haare darauf

11

waren, als ein Schinkenburger Stadtsoldat auf den Zähnen hat.

Besagten Frack, fuhr Erasmus fort, ließ ich mir', da ich ihn zum Professor anziehen wollte, von meinem Stiefelwichserjungen rein machen. Apropos! diesen Jungen schaffen Sie sich an! Er heißt Haase, hat Witz, und ist flink auf den Beinen. Als er draußen die Motten heraus klopfte und bürstete, stürzte er plötzlich todtenbleich, und vor Schrecken bebend, in das Zimmer herein, und erzählte mir, er habe, als er den Frack gebürstet, plötzlich nichts mehr unter den Händen gehabt. Er müßte, meint' er, den Leibrock weggebürstet haben.

Erasmus band einen Knoten in die Saite, that einen tiefen Zug aus der Pfeife, blies den Dampf langsam von sich, und über sein hageres Gesicht ging ein Sonnenschein der Heiterkeit.

Also mit diesem Frack, fuhr er fort, ging

ich zum Professor. Die Theegesellschaft blendete mich, als ich hereintrat, mit ihren vielen Lichtern und Damen. Lachen, Rufen, Sprechen, Klappern mit den Tassen und Theelöffeln, Rutschen mit den Stühlen — Alles tönte durcheinander. Die Gesellschaft kam mir vor, wie ein Schlachtfeld, wo's blutig herging. Hier lagen ein Paar zappelnde Herzen, dort lag ein guter Ruf, dem das Bein abgeschossen war, hier eine Courage im Sterben (nämlich die meinige). Dort brannte ein Zimmer in Entzückung, ganze Regimenter von Romanfloskeln zogen heran. Amoretten plänkelten, dicke Rauchwolken von Parfümerieen stiegen empor. Das kleine Gewehrfeuer von Galanterie und Koketterie knatterte rechts und links, und das grobe Geschütz dicker Lügen umdonnerte mich. Endlich hing über dem Schlachtfelde nur noch eine große trübe Wolke von langer Weile, und viele Seufzer uud viel Unsinn zo-

11*

gen wimmernd hin und her. Die Seufzer galten hauptsächlich der Tanzmusik, die auf sich warten ließ. Nicht weit von mir stand ein Fräulein, mit der Tasse in der Hand, und sprach über das neue hannöversche Criminalgesetzbuch.

War sie schön? fragt' ich.

Ihre Frisur war unerreichbar, und ein hängender Garten der Semiramis. Köstliche Blumen kamen in jenen hohen Regionen noch fort, und blühten, wie hier unten auf der Erde. Zwischen den Haaren lagen einige Perlen, wie Thränen der gekränkten Natur. Zwischen dem Ober- und Unterkörper des Fräuleins war ein starker Einschnitt, der dazu dienen mochte, das Herz mit etwas Anderem zu pressen, als mit der Sehnsucht vergeblicher Liebe. Sie war gerüstet zum Kampfe gegen die böse Männerwelt, aber gerüstet, wie die Griechen, welche beim Kampfe das Kleid kürzten. Und der Fuß! Ich wünsche mir eine handvoll Claurenscher Fußfarben, um diesen Fuß malen zu können. Er war unmenschlich gepreßt, um nie vor dem Feinde laufen zu können. Das Fräulein war schön, wie ein mit Gold beschlagenes Rosenknöspchen. Aber er stand vor ihr, süß wie sein Thee, interessant wie ein wahnsinnig gewordenes Vergißmeinnicht. Zwei schmachtende Augen sprachen, was sein Herz nicht zu nennen wußte. Die kühne Nase sprang verwegen in das Weltall. Auf dem Munde wuchs, wie auf einem Beet, ein Schnurbart, und unter dem Kinne ragten zwei große Vatermörder hervor. Auf jedem derselben saß an der Spitze ein sterbender Amor, und declamirte aus der »Schuld.« Der süße Herr schlug einen entrechat, und sprach zu dem Fräulein: »ich bin sehr unglücklich.« Dabei trat er mich auf den Fuß. Ich hätte den Kerl gern eine Zeit lang zum Fenster hinausge=

halten, aber da mein Onkel die Gesellschaft gab, und ich einen strapezirten Frak an hatte, so that ich's nicht. Endlich ging der Tanz los. Eine Polonaise brauste, wie eine unendliche Tonfluth, in den Saal hernieder. Melodische Walzer wiegten die Seele, der Triangel fiel mit klingenden Tontropfen dazwischen, glühende Paare rauschten an mir vorüber. Ich bekam auch Lust zu tanzen. Da ich aber einen strapezirten — und überhaupt war mir's zu heiß, und die Trios der Walzer waren himmlisch. Ich hörte ihnen lieber zu — und überhaupt ich kanns Niemand beschreiben, wie einem bei einem schönen Walzer auf einem Balle zu Muthe ist, wenn man sich allein fühlt

Sie haben Recht! erwiederte ich. Man wird nie leichter traurig, als mitten im Jubel, und nichts ist entsetzlicher, als sich durch das heiße Gluthmeer des Ballsaales ohne Theilnahme des Herzens hindurchdrängen zu müssen.

Ein weiches gesangreiches Walzertrio ergreift uns dann mehr, als zwanzig dickbackige, prahlende Posaunen.

Eben das meint ich, sagte der Dachmensch. Es ist ein eigenes Gefühl, wenn beim Jubel der Instrumente plötzlich das Herz eine stille heimliche Frage thut, ich will einmal annehmen z. B.: »wo ist dein Mädchen?« — dann steigt ein Gedanke herauf aus den tiefsten Tiefen der Seele, ein lieber Gedanke. Es ist, als würd' er getragen von Schalmaientönen, vom Kureigen der Sehnsucht. Der Gedanke legt sich dicht ans Herz. Er ist süß, aber er thut weh, sehr weh. Er träufelt Gift in's Herz, und nagt darin immer weiter, und das Herz merkt's nicht. Er ruft lauter, und schreit endlich in das Walzertrio hinein: du armer lustiger Mensch, wo ist denn dein Mädchen?

Nein, da ist's doch, rief ich, in Kassel anders. Dort tanzt' ich im Abendvereine wohl öfters. Da geht's gar nicht steif her. Da wickelt sich das Vergnügen die Aermel auf, nnd tanzt dem Teufel ein Ohr ab. —

Die Guitarrrensaite war aufgezogen. Ich bat Gabelstich, mir eins zu singen. Er ging nicht gern daran. Endlich klimperte er immer vernehmlicher. Die Lampe stand auf dem Tische, und warf ein geisterhaftes Licht auf das schöne, blasse, brillenlose Angesicht. Er sang folgendes Lied.

Ich sammelte die Trümmer
Aus meiner goldnen Zeit,
Die alten lieben Zeugen
Verschwundner Seligkeit.

Ich nahm die braune Locke,
Die sie mir umgehängt,
Und die verwelkte Rose,
Die sie mir einst geschenkt.

Und die zerbrochne Nadel,
Und auch das rothe Band,

Und jenen kleinen Faden,
Den ich ihr einst entwandt.

Und manches alte Zeichen,
Von Lieb' und Liebesschmerz, —
Da ward mir's, ach ich weiß nicht,
Unnennbar weh ums Herz.

Mir war, als wenn es zu mir,
Wie Heimathglockenklang,
Wie liebliches Geläute
Von fernen Kirchen drang.

Wohl hatt' ich eine Kirche
Mir gläubig einst gebaut,
Drin hatt' ich zu der Liebe
Gebetet und vertraut.

Das Kirchlein ist verschüttet
Tief in die Erd' hinein,
Und diese Heiligthümer
Behielt ich noch allein.

O legt mir doch, ich bitt' euch,
Werd' ich gestorben sein,

Die Kleinigkeiten alle
  In meinen Sarg hinein. —

Erasmus sang dieses Lied mit einer schönen Baßstimme. Hierauf wurd' er ernster. Es war nichts Gescheutes mehr mit ihm anzufangen, und als der Nachtwächter 10 rief, ging ich herunter in meine Stube. Wir drückten uns die Hand. Ich löschte meine Diogeneslaterne aus. —

Achtzehntes Kapitel.

Es ist kein Wunder, wenn dem Leser unversehens ein Stück Papier zum Fenster hineingeweht wird, mit folgenden Zeilen.

Flieg hin aus meinem Stübchen,
  Du flatterndes Papier,
Und grüße mir mein Liebchen
  Viel tausendmal von mir.

Küß meiner Henriette
Die Alabasterhand,
Und sag ihr, daß dich hätte
Ihr Treuer abgesandt.

Erzähl' ihr in der Ferne,
Wie ich so traurig bin,
Ich flög ja selbst so gerne
Zu Liebchen mit dir hin!

Erzähl ihr, daß ich immer,
Wo ich nur geh und steh,
Ihr Bild, wie Sternenschimmer,
Vor meinen Augen seh.

An sie allein nur dächt ich,
Und, würde sie nicht mein,
Dann sag' ihr nur, dann möcht ich
Auf Erden nicht mehr sein.

Denn diese Zeilen schrieb ich heute auf ein Stück Papier, und übergab es den Winden, träumend, sie würden ehrliche Boten sein. Aber der Himmel weiß, wohin das Blatt geweht ist.

Ich bin König der ganzen Welt, besonders im Frühling, und die unzähligen Diamanten meiner Krone leuchten auf allen Grasspitzen, Aber den Lüften kann ich nicht gebieten, daß sie mir jenes Blättchen besorgen. Ich bin Generalfeldmarschall einer Armee, die beständig im Felde ist, und bei welcher zwar keine Trommeln, aber Lerchen wirbeln, zwar keine Hornisten, aber Nachtigallen musiciren, zwar kein Pulver, aber doch Blüthenduft gerochen wird, zwar keine Bomben aber Knospen zerplatzen, und zwar keine Menschen, aber Abendröthen sterben. Ich bin Ritter mehrer Orden, z. B. der drei Sterne, welche man unterm Frack trägt, und welche 1. Corinth. 13, 13. näher bezeichnet sind, auch des rothen Bandes, welches der liebe Gott um die Menschen gezogen hat, endlich mehrer Hosenbänder. Ich bin Verfasser vieler Briefe, Neujahrswünsche und Gedichte, auch einiger vorzüglicher Abhandlungen, und räsonirendes Mitglied mehrer angenehmer Gesellschaften. Ich bin — o! was bin ich nicht alles — Aber den Lüften kann ich nicht gebieten, und den Winden kein Quos ego zuschreien, damit sie mir nicht jenes Blättchen in Philisterhände tragen. Ich bitte daher, den ehrlichen Leser (oder eigentlich den unehrlichen, denn der ehrliche thut's von selber), den Zettel, so er ihn findet, mir selbst wieder zuzustellen.

Was die ebenerwähnten, von mir verfaßten Abhandlungen betrifft, so verdanken sie dem letzten gewaltigen Regen ihr Entstehen, der mich mit meinem Notizenbuche auszugehen verhinderte, und mich auf die Stube bannte, ohne jedoch sonstigen Einfluß auf dieselben gehabt zu haben. Erstlich nemlich lieferte ich eine juristisch-cameralistisch-philosophische Abhandlung über den Normalgehalt der kurhessischen Obergerichts-Referendare, eine in den Quellen über kurhessisches Staatsrecht, namentlich im »Verfassungsfreunde« leider bisher vernachlässigte Materie. Zweitens versucht' ich eine Abhandlung über den Kasseler Volkswitz. Da sich indessen der letztere seit einem Jahrhundert nicht weiter, als zu dem einzigen Bonmot ausgebildet hat: daß die Eisengefangenen eine »geschlossene Gesellschaft« sind, so ist aus diesem Tractate wegen Mangels an Stoff nichts geworden. Drittens schrieb ich eine gründliche Untersuchung über den Absatz, welchen Fr. Murhards Commentar über die kurhessische Verfassungsurkunde gefunden hat. Ich sprach darin erstens über den Absatz, den dieses Werk hätte haben können, zweitens von dem Absatz, den es gehabt haben würde, und drittens von dem Absatze, den es hätte finden können. Hiermit hatte ich meinen Gegenstand erschöpft. Ich that ferner einige Blicke in die poetische Literatur unserer Zeit, sprach bei dieser Gelegenheit nicht ohne Geist über die Dichtkunst im Allgemeinen, verglich die Dichter mit den Narren, von denen jeder zehn andere macht, ging in das Gebiet der heutigen Kunst überhaupt über, und ließ mich über das Geklingel in der Musik und im Romane, den bizarren Wahnsinn auf der G-Saite, und den poetischen Mysticismus, verbunden mit Cynismus in der Poesie aus. Ich bedauerte, daß Göthe so alt geworden, daß er, wie eingemachte Früchte am Ende zu einer einzigen Zuckermasse werden, im hohen Alter förmlich verpoesirt gewesen sei, und daß W. Hauff sich todt gerast; ich sprach über Coopersche Seestürme, und nannte W. Scott einen Cometen am Horizonte der poetischen Literatur, bedauerte den breiten Schweif dieses Cometen, und that einen Sprung auf die kurhessischen Dichter, verglich diese mit bescheidenen Veilchen, berührte das poetische Elend, das sich in dem Beiblatte des Verfassungsfreundes mit G — z — r unterzeichnet, und schloß mit einem pium desiderium an die Stände, sich der Dichterzucht in Kurhessen nach Kräften anzunehmen. — Ich darf mir endlich fünftens mit einer sehr gründlichen Abhandlung über die Schuhnägel schmeicheln, in welcher ich zuerst über die Schuhnägel überhaupt, alsdann über den Unterschied zwischen Schuhnägeln und Schuhzwecken, hierauf über das Bedürfniß eines gründlichen Unterrichts für heutige Schuster über den Unterschied zwischen Schuhzwecken und Staatszwecken sprach. — Da jedoch diese Abhandlungen bedeutende Epoche in der Literatur machen, und ehrwürdige Theorien geradezu über den Haufen stoßen werden, so halte ich sie einstweilen noch zurück, um sie nach wiederholter Feile in einem zweiten Bändchen des Rosa-Stramin von Stapel laufen zu lassen.

Neunzehntes Kapitel.

Erasmus und ich wurden bald vertraut. An jedem Abend rief ich ihn entweder durch meine Geige herunter, oder er mich herauf durch seinen Gesang zur Guitarre, nicht zum Claviere, denn der Ton des letzteren drang nur in die Herzen, welche drei Schritte von ihm schlugen. Dann wechselten wir manch trauliches Wort. Eines Abends — es war schon Winter, und der Schnee lag fußhoch — saßen wir am Tische in der Erkerstube, und tranken Schneiderbier, das Erasmus aus dem Treppengeländer gezapft hatte. Nemlich die Studenten im Grundewaldschen Hause hatten, wenn sie Bier trinken wollten, die Wahl zwischen zwei Arten. Das Schneiderbier war eigentlich blos für die Grundewaldsche Werkstätte bestimmt, und mit Wasser vermischt, damit das Schneiderblut sich nicht zu Excessen hinreißen lasse. Aber das

Studentenbier war unvermischt. — Also wir saßen am Tische bei Schneiderbier, und sprachen über Allerlei. Ich erzählte Erasmus aus meiner Lenzbacher Kinderzeit, und die Geschichte von der einsamen Harfe. Wir nannten uns längst schon du, und dieses Wörtchen war der Schlüssel, mit dem wir Manches aufschlossen. Auch Erasmus ließ mich in seine Knabenjahre blicken. Nie, Eduard, war ich glücklicher, sagt' er, als in Lillerode, wie ich auf meines Vaters Knien ritt, im kleinen Wohnstübchen an der Hausflur. Und nun erzählt' er, wie in der warmen Schulmeisterstube die Lampe düster auf dem Tische gebrannt, der Vater in der kattunen Jacke auf dem Canapee gesessen, und Rechenexempel corrigirt, die Katze sich unterm Tische geleckt, daneben ein hölzernes Pferdchen auf einem kleinen Rollbret gestanden habe, mit einem langen Bindfaden daran, die Wanduhr geschnarrt, die Wäsche am Ofen gehängt, und im Ofen die schürende Magd gelärmt. Das war meine Welt, fuhr er fort, mein Himmel, mein Alles. Rauschend zog eine große Zeit mit blutigen Flügeln über dem Stübchen hinweg. Mich kümmerte sie nicht. Die elterliche Liebe durchdrang, durchathmete, trug und hielt mich. Die Außenwelt blitzte hier und da mit paradiesischen Farben in meine unverständige Seele, und rief darin himmlische Ahnungen und Träume hervor. Der Vater brauchte sich also kaum noch an das Clavier zu setzen, um mein kleines Herz zu entzücken. Wenn er die Scala buchstabirte, so durchschauerte mich das Gefühl, als wären jene Töne Worte eines fremden Wesens. Alle Sonntag Abend kam der Pfarrer, um mit meinem Vater über die Zeitungen, über Napoleon, und die Alliirten zu reden. Er pflegte, als ich größer geworden, mich an solchen Abenden im Lateinischen zu unterrichten und zu examiniren, so lange, bis sein Töchterchen kam, um ihn abzurufen. Nun, Rasmus, sprach in solchen Fällen der Vater zu mir, zeige dem Herrn Pfarrer, ob du die Conjugationen inne hast. Bescheidentlich trat ich vor den Herrn Pfarrer, und ließ mich befragen. Die Augen der Mutter glänzten mir voll Stolz entgegen, und ihre Besorgniß, die fremdartigen Wörter, besonders da, wo es in das verwünschte iri hineinging, möchten falsch sein, weil sie so schwer klangen, verschwand mit einem Male, als sie den Herrn Pfarrer das Examen mit »gut« schließen hörte. Jetzt schlug es 10 Uhr. Zugleich hört' ich die Hausthüre auf und zu rappeln. Darauf öffnete sich leise die Stubenthüre, und des Pfarrers Töchterchen trat herein. Sie trug damals noch herunterhängende Zöpfe, und ein weißes Schürzchen. Sie sagte guten Abend, und näherte sich dem Tische. Darauf hob der Pfarrer den Schirm der Lampe auf, um den kleinen Gast zu erkennen, und da schien das Lampenlicht auf ihr Antlitz. Siehst du, wenn die Abendsonne auf den Frühling scheint, und die hängenden Birken und das duftige Firmament beleuchtet, und dann die abendliche Gegend flüsternd, erröthend und zitternd den Gruß erwiedert, so denk' ich an das kleine Gesichtchen, das die Lampe beschien, als der Pfarrer den Schirm hob. Auf beiden Seiten ihrer Stirne floß, wie ein träumender Strom das gescheitelte braune Haar. Ihr Auge war ein Miniaturbild einer Welt, die im Aether schwimmt, und es war, als hätte sie der Herr eben geschaffen, und den feuchten Glanz seiner Liebe über die jungfräuliche Kugel gegossen. Das Näschen, Eduard, ist mir das Liebste von allem Griechischen. Zwischen dem Ohre und der Wange schlängelte sich die Schönheitslinie einer verirrten Locke. Wenn die Engel auf dieser Erde nirgends mehr ein Plätzchem hätten finden können, um zu beten, — auf den Wangen dieses Mädchens durften sie getrost beten, und opfern dem Herrn auf diesem schneeigen Plane. Ja, es kam mir vor, als wehte schon die Opferflamme glühend über dem reinen Altare. — Du bist's, Marie? sagte der Pfarrer, und klappte den Schirm wieder über die Lampe, und es war, als wäre die Sonne hinuntergegangen. — — Ich selbst (fuhr Erasmus nach einigem Schweigen fort) wußte nicht, wohin ich meine Hände thun sollte, ob ich sie auf die Kniee legen, oder in die Taschen stecken sollte. Während nun die Eltern verständig miteinander fort redeten, gesellten sich die Kleinen zusammen. Marie kam auf den kleinen Schulmeister los, und fragte: was hast du denn da für ein Buch, Rasmus? Ich erröthete vor Eitelkeit, und antwortete gleichgültig: o das ist der Bröder, darin muß ich lernen bei deinem Vater, decliniren und conjugiren. — Das ist wohl schwer? fragte sie mit ängstlicher Miene. — Ja, sehr schwer! sagt' ich mit Wichtigkeit. Da sieh nur her, — das ist hortor, das nennt man ein deponens, dem siehst du's gar nicht an, wie schwer es ist. Du solltest glauben, das hieße: ich werde ermahnt, — behüte! es heißt: ich ermahne. Aber conjugiren kann ich nun schon, und ich komme nun bald an die Syntaxis. — Marie bekam einen Schrecken vor diesem Worte, und flüsterte: ach du armer Junge! — Jetzt nun störte der Pastor den kleinen Professor, und sprach: komm, Marie, die Mutter wartet, wir wollen nach Hause gehen. — Und sie hüpfte an ihres Vaters Hand zur Stubenthür. Die Alten gaben sich die Hände, und da gab ich ihr auch die Hand, und sagte nichts, nicht einmal gute Nacht, aus Dummheit. —

Erasmus schwieg, und schaute still vor sich hin.

Und was ist aus der kleinen Marie geworden?

Die ist ein großes, hübsches Mädchen geworden. — Eduard, soll ich nicht noch eine Flasche Schneiderbier bestellen?

Mein Gott, Erasmus, die Flasche ist ja noch über die Hälfte voll. Träumst du denn?

Er sah mich an. Es standen ihm Thränen in den Augen. — Wir beide schwiegen. — Da klangen wieder die Kureigentöne der Hörnermusik durch die Nacht.

Ich trank in der Verlegenheit schnell ein Glas Schneiderbier, und sagte — ich weiß nicht mehr, was ich sagte, aber auf jeden Fall war es nichts Gescheutes.

Erasmus gab keine Antwort.

Ich sprang auf, und fasst' ihn an beiden Ohren, und rief im Gemisch von Scherz und Rührung: weine nicht, ich kann das nicht leiden. Oder wenn du's nicht lassen kannst, so erzähle mir wenigstens, was dich drückt. Heraus damit! du bist verschlossen.

Ich bin nicht verschlossen.

Ja, das bist du, eifert' ich, und das ist unrecht von dir. Wer weiß, in welches Meer du den Schlüssel zu deinen Herzkammern geworfen hast. Aber die Freundschaft hat einen Dietrich, und will die Kammer öffnen.

Ach störe die Kammer nicht, sagte Erasmus. Es ist eine Schlafkammer. Wecke Niemand darin auf, Eduard. — Du nennst mich verschlossen? Hast du einmal gesehen, wenn die Kinder um ein verbrennendes Papier stehen, und den irrenden, verschwindenden Funken in der Asche zusehen?

O ja! sagt' ich. Die Jungen sagten mir dann: siehst du, das ist eine Kirche, und die Fünkchen, die so sanft hin und herziehen, das sind die Kirchenleute. Die gehen alle nach Hause. Der letzte ist der Küster, der geht auch nach Hause, und schließt die Kirche zu. Aber was willst du damit, Erasmus?

Erasmus stand auf. Sein Pfeifendeckel schlug läutend an das Rohr. Mein Herz, Eduard, sagt' er mit kalter Miene, war eine Kirche, und die Liebe war der Küster. —

Nein, rief ich, sei nicht verschlossen! sie sind noch alle in deinem Herzen und beten, nur du bist nicht darin. Am Altare knieet noch dein Küster, wenn er dir auch den Rücken zuwendet. Ich höre noch Choräle in deiner Kirche, ich sehe noch die ewige Lampe darin brennen, und höre den Glauben noch mit großen Orgeltönen durch deine Brust ziehen, und die Liebe darin singen, alte fromme Melodieen, die du nicht mehr kennen willst, Erasmus, die du zurückweisest von deinem Ohre, damit sie nicht die alten verhaltenen Thränen lösen, ohne welche du ja nicht leben, nicht einmal unglücklich sein kannst. Sei nicht mehr verschlossen. Komm, wenn es dir wohlthut, an mein Herz. Erzähle mir! sprich, wie war es? Du hast das Mädchen lieb gehabt?

Da warf sich plötzlich Erasmus schluchzend in meine Arme. Lange lag er so. Eine große Last schien sich von ihm zu wälzen, und eine laue Frühlingsluft durch seine Seele zu wehen. Die Hornmusik wurde immer weicher und sehnsüchtiger, die Thränen immer sanfter, das Weinen immer stiller. — Mein Arm, auf dem er lag, schmerzte mich. Ich richtete den Freund langsam in die Höhe. — Jetzt nicht, sagt' er leise, ich will dir bei Gelegenheit Alles erzählen. Jetzt bin ich nicht ruhig genug. Laß uns heute nicht mehr davon reden. Ich fühle, daß ich zu weich geworden bin. Er trocknete sich hastig die Augen, griff zu seiner Guitarre, und spielte, in der Stube auf- und niedergehend, in den Saiten.

Ich ehrte seine Stimmung, und schwieg. Von dem albernen Schneiderbiere war noch die halbe Flasche voll. Ich schenkte ein, um etwas Wirklichkeit in Erasmus hineinzulärmen. Keiner trank.

Da gestalteten sich die Guitarrentöne zu weichen, vollen Accorden. Erasmus stand, mit dem Rücken an das Fenster gelehnt, und seine Stimme sang mit bebender Innigkeit:

In der Ferne
  Wohnt mein Glück,
Wie der Sterne
  Gold'ner Blick.
In der Ferne
  Wohnt mein Schmerz,
Ringt zum Sterne
  Himmelwärts.

In der Ferne
  Wohnt ihr Bild,
Und die Sterne
  Grüßen's mild.
In der Ferne
  Wohnt mein Leid,
Sagt's ihr, Sterne:
  Lieb' verzeiht.

In die Ferne
  Schaut' ich oft,
Hab zum Sterne
  Treu gehofft.
Weit und ferne
  Wohnest du,
Ueber'm Sterne
  Meine Ruh.

In der Ferne,
  Dort und hier,
Lieb und gerne
  Bist du mir.
Lieb und gerne
  Du allein,
Ueber'm Sterne
  Wirst du mein.

— Die Klänge versäuselten langsam. Die Töne der Jägermusik wiegten sich noch rufend in den Lüften, und schwammen endlich, vereinigt und versöhnt, in einem großen Accorde zusammen.

Erasmus sah ich drei Tage lang nicht wieder.

Zwanzigstes Kapitel.

Schöner, als im Erasmi Herzen, ist es, während ich das Gegenwärtige schreibe, in der Natur.

Ist auch der Mensch voll Tück' und Lügen,
Ist doch die Erde wunderschön!
Und grinst der Haß aus Menschenzügen,
Die Liebe lacht von Thal und Höhn.

Wie bist du sanft, du stiller Frieden,
In dem die Erde grünt und blüht,
So fern von allem Schmerz geschieden,
Der in der Brust des Menschen glüht!

Wie bist du sanft, du Lied im Haine,
Du Zephyr, der die Aeste wiegt,
Du Grün der Saat im Abendscheine,
Du Blau, das auf den Bergen liegt!

Nimm du mich auf mit deiner Liebe,
Mit deinem Frieden du, Natur,
Wem auch kein Herz auf Erden bliebe,
Er hätte Trost, bliebst du ihm nur!

Das deine schlägt so warm und ewig,
Und seiner Reinheit sich bewußt,
Natur, du heil'ge, in dir leb' ich,
Und ruh' im Tod' an deiner Brust. —

Mehrere Wochen nach dem, was ich im vorigen Kapitel erzählte, saß ich eines Abends spät an meinem Tische, und studirte just die römische Lehre von den Eheverlöbnissen. Ich lernte dabei, daß die jungen Römer mittelst feierlicher Stipulation sich verlobten, und verglich hiermit die Weise, wie ein Verlöbniß in einem Roman eingegangen wird. Ich lernte aus **L. 1. C.** de sponsal., daß es der verlobten Braut erlaubt war, den Theuren zu verlassen, und einen andern zu nehmen, daß aber, wer in zwei Eheverlöbnissen zugleich stand, nach **L. 1. D.** de his qui inf. infam wurde, und wendete den letzteren Grundsatz auf die heutige Zeit an; ich erfuhr weiter aus **L. 16. C.** de don. a. n., daß ein Kuß, den der Bräutigam der Braut gab, nur halb so viel werth war, als der Shawl, den er ihr schenkte; daß ferner nach zwei Jahren die Rückgängigkeit des Verlöbnisses juristisch vermuthet wurde, daß also die römischen Centumviral-Gerichts-Referendare alle zwei Jahre die Verlobungsscene wiederholen mußten, um Verlobte zu bleiben, — kurz ich war im besten Zuge. Draußen orgelte der Sturmwind, als ich plötzlich über mir Erasmi Guitarre und Gesang hörte. Dabei forcirte er seine schöne Stimme zu einer Höhe, der sie nicht gewachsen war, was unangenehm klang. Er mochte wohl am Fenster stehn, denn ich konnte genau folgende Worte vernehmen:

Höre mein Liebchen auf meine Lieder,
Höre mich, Mädchen, ich singe für dich!
Kennst wohl die alten Töne nicht wieder?
Klingen so närrisch und wunderlich?

Ei, meine Lieder klingen ja munter,

Und der Refrain, mein Liebchen, bist du,
Klingen ja lustig, und heisa! mitunter
Tanzet und weinet der Spielmann dazu.

Doch meine Lieder will Niemand leiden,
Klingen so ewig und einerlei,
Muthwillig Liebchen zerriß meine Saiten,
Brach mir das goldene Spielzeug entzwei.

Ach wer macht mir mein Spielzeug wieder?
's klingt so närrisch und wunderlich,
Höre, mein Kind, meine lustigen Lieder,
Höre mich Liebchen, ich singe für dich!

Die Guitarre verstummte. Meine Violine fiel hierauf in dieselbe Tonart ein, und zog den Sänger durch das verabredete Zeichen eines niedersteigenden Staccato's herunter auf meine Stube.

Er kam, brachte die Guitarre mit, und schien bei voller Laune, indem er rief: Heute Abend ist Polterabend bei mir gewesen, hast du nichts gehört?

13

Nein.

Denke dir! Ich liege auf dem Sofa, und repetire einige hebräische Psalmen. Müde vom Lesen, und da es ohnehin dämmerig wurde, legte ich das Buch bei Seite, und simulirte. Da auf einmal nahte sich mir eine vierbeinige Gestalt. Was fällt dir ein? rief ich, denn es war einer von meinen drei Stühlen. Aber ich blieb ganz still liegen, und hörte nun folgende Apostrophe: »Mein Meister und Gebieter! Nur in dieser heiligen Stunde der Dämmerung, wo ja selbst die Brustmuskeln des Menschen zu reden pflegen, werde auch mir ein Wörtchen vergönnt. Lange hab' ich geschwiegen. Aber du weißt ja selbst, daß wer nur einmal besessen ist, schon des Teufels wird, geschweige denn ich, der ich seit 50 Jahren besessen bin. Ich lasse nichts mehr auf mir sitzen. Ich bin von edler Abkunft, vom Stamme einer Eiche, und der Sturm hat mich erzogen. Ehrerbietig, aber dringend stell' ich dir vor, daß ich meinen Beinschaden nicht länger ertragen kann. Ich muß dich nämlich erinnern an die bittere Stunde, wo du wüthend und mit zusammengekralltem Herzen mich faßtest, und in die Ecke warfst, in donnerndem Grimme, wie wenn ein Gott eine Welt vernichtet. Seitdem wackle ich. Aber ich bitte dich inständigst, das Bein (der Stuhl hob's in die Höhe, wie Vestris) mir endlich wieder in den vorigen Stand Rechtens einzusetzen.«

Durch diese kühne Sprache, (fuhr Erasmus fort) war die übrige Umgebung muthig geworden, und es nahte sich schüchtern und liebevoll meine Leib-Tabackspfeife, läutete sanft mit dem Deckel und flüsterte: »In frohen und trüben Stunden war ich bei dir; in meinen Wölkchen schwammen deine lustigen und traurigen Gedanken; auf ihnen trug ich deine Seufzer durch die Lüfte; ich küßte dir die Ruhe ins

13*

Herz, wenn du traurig warest; ich umgaukelte dich oft mit duftenden Phantasie-Gebilden, ich war mit dir in Freud und Leid, und in Lillerode. Oft, wenn du längst den Kopf verloren hattest, half dir der meinige aus mit irgend einem guten Gedanken. Soll aber auch ich meinen Kopf nicht verlieren, so gib mir eine Schnur, eine einzige schlechte Schnur, und wärs auch nur ein Bindfaden.«

Jetzt begann ein lautes Wackeln und Poltern auf dem Bücherbrete. Die Bibliothek rebellirte. Die Bücher wollten neue Einbände haben. Als Volksverführer trat ein Band hervor, der Rehm's Geschichte des Mittelalters enthielt, und war entsetzlich grob. Still! rief ich donnernd dazwischen, denn es wurde mir zu toll. Wie einst in Griechenland, schien alles um mich zu leben, und in jedem Ding eine Seele zu wohnen. Meine Bücher, dacht' ich, können warten und der stolze Eichensohn auch. Aber meine Pfeife nahm ich, und ließ ihr für 2 Groschen eine grüne Lütze holen. Zwei und eine halbe Flasche Schneiderbier hätt' es gegeben. Aber wozu Schneiderbier? Das Poltern der Möbel im Zimmer bedeutet ja, daß der Bewohner desselben nicht lange mehr lebt. Dann ist heute Abend Polterabend zu meiner Verlobung. Darauf laß uns eine Flasche Schneiderbier trinken! Ich habe rechte Lust dazu. Ich wollte ich wäre ein lustiger Schneider, Eduard, und hätte einen hübschen Schatz, und wenn mir mein Schatz untreu würde, so wär ich ein lustiger Schneider nach wie vor, und nähte mir blos einen Flicklappen auf das Herzloch, und tränke alle Tage Schneiderbier, und sänge: »es ritten drei Schneider zum Thore hinaus, ade!« Laß uns einmal das Lied singen, Eduard!

Ach du bist nicht gescheut, sagt' ich. Hier

setze dich einmal her. Jetzt erzählst du mir die Geschichte von der Marie.

Nun, wenn du sie denn durchaus wissen willst. — Es war einmal ein Mädchen, die hieß Marie, und ein junger Bursche, der hieß mit dem ersten Buchstaben Gabelstich. Der Bursche gab dem Mädchen einen Ring und sein Herz. Das Mädchen sagte: was soll ich mit dem Ring? den Ring mag ich nicht! Das Herz nur behielt sie, und spielte damit manchen Tag, wie die Kinder thun, so lange bis das Spielwerk entzwei brach. Da, da wars alle, und nun ist die Geschichte aus. —

Erasmus that einen schnarrenden Griff in die Guitarre.

Das ist keine Geschichte, das klingt wie ein Mährchen.

Ich wollt' es wär ein Mährchen, dann hätt ich nicht neulich bei dir Knabenthränen geweint.

Erasmus! du mißhandelst dich selbst, das ist keine Stimmung deines Herzens und jener Marie würdig. Das sind Bitterkeiten über Dinge, die ich dir werth und heilig glaubte.

Er schwieg und spielte sanftere Accorde.

Erzähle mir, fuhr ich fort, ruhig, ohne bittern Scherz. Laß mich die Stimme deines Herzens hören. Denke dir einmal, die Marie wäre dir recht gut gewesen, und du hättest sie vielleicht selbst gekränkt, und sie säße vielleicht daheim, und weinte, ohne daß du es sähest, und hätte dich vielleicht noch recht lieb.

Erasmus spielte weichere Klänge.

Denke dir einmal, fuhr ich fort, du wärest todt, ledig alles Grames und aller Unzufriedenheit, und alles Aergers, und sie fragten dich drüben, was aus der kleinen Marie geworden wäre, und wie dirs gegangen hätte, und wie du sie geliebt hättest, und wie alles so unglücklich gekommen wäre.

Erasmus spielte harmonischer, und seine Töne schlangen sich immer inniger in einander, bis er mit halblauter Stimme sagte: Ja ich will dir alles erzählen. Aber laß mich dabei fort spielen.

Einundzwanzigstes Kapitel.

Ich will die Geschichte des Dachmenschen, da ich noch frohere Dinge im Kopfe habe, später bei Gelegenheit erzählen. —

Es war im nächsten Sommer, als ich ihm den Vorschlag that, einen Ausflug nach Kassel zu Pferde zu machen. Ich hoffte von dieser Partie die beste Zerstreuung für Gabelstich. Er nahm's an. Die Wechsel waren frisch von Hause angekommen.

Am Morgen eines freundlichen Sonntags standen vor der Grundewaldschen Hausthüre zwei Reitpferde. Christian, der Lehrling, flog die Treppe auf und nieder. Christine, die Magd, war in voller Thätigkeit. Haase, der Stiefelwichserjunge, sprang, wie ein gehetzter Hund, Treppauf Treppab. Wenn wir noch zum Essen im Ritter zu Kassel anlangen wollten, so war es die höchste Zeit, daß wir uns aufschwangen. Ich war bereit, bis auf die Füllung meines Tabacksbeutels. Hiermit in meiner Stube beschäftigt, fragte ich aus Leibeskräften den Theologen, ob er fertig sei? Ich hörte keine Antwort, aber ein Lärmen auf dem Fußboden der Dachstube, so daß die Fenster zitterten, und dabei ein unterdrücktes Stöhnen und Seufzen. Ich eilte hinauf. Der Anblick, der sich mir hier darbot, war sehr traurig, und ich habe keine Farben, um die Qualen, in denen ich Erasmus fand, zu beschreiben. Er stand in der Stube, hatte die Brille auf der Nase, ein paar große, steife Vatermörder um den Hals, über welche jedoch kein Tuch gebunden war, keinen Rock an, auf der Brust eine Chemisette, übrigens Reithosen, mit Leder besetzt, und am linken Fuß einen neuen Stiefel. In den Strippen des andern aber, der erst halb am rechten Fuße saß, steckten seine Finger, und Gabelstich marschirte auf diese Weise mit dem halb angezogenen Stiefel unter Seufzern, die immer matter wurden, aus einer Ecke der Stube in die andere.

Eile dich doch, rief ich, wir kommen sonst zu spät nach Kassel:

Grimmig, wie ich ihn noch nie gesehen, und mit kirschbraunem Gesicht schrie er: Soll ich denn in der Residenzstadt des Kurfürstenthums mit einem Kothurn herumhinken? den linken zog ich vor 1¼ Stunde ohne Schwierigkeit an, nur der rechte — (er schob die Unterlippe weit über die Oberlippe, machte wiederholte Anstrengungen, und sprach mit stöhnender Unter brechung:) Siehst du, es ist ein Elend — ohne Zweifel kommen wir viel zu spät — die beste Zeit geht vorüber — und mich hält hier das Schicksal in Gestalt — eines zweinähtigen Hallunken. — Jetzt ließ er resignirt die matten Arme sinken, und sagte: Eduard, reis' allein, sei vergnügt, und denke mein!

Komm! rief ich dem Verzweifelten zu, ich will dir helfen. Nöthigenfalls schmieren wir die Ferse mit Seife. Aber thue doch deine Vatermörder ab, sie geniren dich ja.

Sage mir nur, fragte der Gequälte überrascht und heiter, warum ich diese Vatermörder eher anzog, als die Stiefel? Na probire deine Kunst!

Nun tanzten wir beide gemeinschaftlich, zusammen auf drei Beinen, in der Stube umher.

Hätt' ich den Schuhmacher hier, sprach Erasmus keuchend beim Klaviere, ich knüpft' ihn auf. — Es geht nicht, Eduard, rief er beim Sopha, eher geht ein Kameel durch ein Nadelöhr, als mein Fuß durch dieses Kalbleder.

Halt still, rief ich! und arbeite nicht mit den Zehen!

Um wieviel Uhr springen die Wasser in Wilhelmshöhe? stöhnt' er beim Fenster.

Um vier Uhr. Fühlst du noch nicht, daß der Fuß weiter vorgeschritten?

Nicht eine Linie, seufzt' er. Er hat sich festgefahren. Die Fußspitze steht offenbar nach Norden, während der Stiefel südlich strebt.

Wir waren eben beim Ofen angelangt, als Gabelstich, die Gelegenheit benutzend, in hastigem Aerger seine Chemisette wieder abriß, und von sich warf. Ach laß es nur gut sein, (sagt' er kleinmüthig, als wir mit einem großen Satze wieder beim Fenster angekommen waren) ich will Haase rufen. — Er hinkte nach dem Treppengeländer und rief dem Jungen.

Wie heißt der Kerl? schrie er ihm entgegen.

Wer?

Der Schuhmacher.

Stake.

Gott! klagte weinerlich Erasmus, Stake heißt der Kerl! Stake! Stake! Stake! Wie kann man nur Stake heißen? Lieber, guter Haase!

Was befehlen Sie?

Ziehe mir den Stiefel wieder aus!

Ich meinte, Sie wollten nach Kassel.

Drum eben, Schafskopf! Ziehe mir den Stiefel wieder aus, und hole Seife!

Die Seife kam. Der Fuß fuhr aus dem Stiefel, und mit ihm der Stiefelwichserjunge in die Stubenecke. Erasmus saß auf dem Sopha, und Haase wichste mit der Seife des Theologen Ferse. — Schmiere nur ordentlich, lieber Haase, sagte in freudiger Hoffnung Erasmus. Wenn alle Stricke reißen, so zieh' ich einen Schuh an den rechten Fuß, und reite an deiner linken Seite, Eduard, dann wird's ja Niemand sehen. — Der Junge wichste fortwährend mit Eifer.

Während Haase seift, sperre ein kurhessischer Obergerichts-Referendar den Mund auf, damit ich ihm ein Gedicht hinein lege, das ich expreß für ihn gemacht habe. Er singe, bis Gabelstich das Kalbsleder angeritscht ist.

Du trauriges Philisterleben,
Was kann mir deine Herrlichkeit
Für einen einz'gen Tag nur geben
Aus meiner frohen Burschenzeit?
Am Sessionstisch angebunden,
Dem Sclav an der Galeere gleich,
Wird, denk' ich an die trauten Stunden,
Vor Wehmuth meine Seele weich.

Euch Brüder, die ihr euch der alten
Fidelen Zeit mit mir gefreut,

Euch, die nun höhere Gewalten
  Längst in die weite Welt zerstreut,
Euch, deren ich so oft und gerne,
  Mit brüderlichem Sinn gedacht, —
Ein treuer Gruß aus weiter Ferne,
  Sei dieses Lied euch dargebracht!

Drei Farben, wisst ihr, Kameraden?
  Drei Farben thaten unsern Bund
Der Waffen und der Seelen, thaten
  Verachtung der Gemeinheit kund.
Ein farb'ges Band, den Prorektoren
  Und Schnurren schrecklich anzuschaun,
Umschlang des Jünglings Brust, erkohren,
  Darin die Freiheit aufzubau'n.

Drei Farben leuchteten vom Schläger,
  Wenn's Rache bitt'rer Kränkung galt.
Es schleppte still den Ehrenträger
  Der Fuchs hinaus zum nahen Wald.
Und dort umfing uns Abendmilde,
  Die Heerden zogen heim durch's Thal,
Und lächelnd ruhten die Gefilde
  Ringsum im gold'nen Sonnenstrahl.

Nicht weit, wo von der Felsenmauer
Die klare Well' herniederfällt,
Dort war ein Füchslein auf die Lauer
Als treuer Wächter ausgestellt.
Nun schritt man ernst zum blut'gen Gange,
Und laut am schauerlichen Ort,
Im dumpfen feierlichen Klange
Ertönte das Commandowort.

Wir schlugen muthig in die Schanze
Das Leben für die Lieb' und Ehr',
Ernst ging es bei dem Schlägertanze,
Und lustig bei Banketten her.
Doch, Brüder, wenn der Schläger ruhte,
Getaucht ins warme Blut hinein,
Dann wuscht' ihr mit dem warmen Blute
Mir meine Lieb' und Ehre rein.

O selig, wenn mit Louisdoren
Der Bote von der Heimath kam!
Doch schnell war ihre Spur verloren,
Sobald der Bote Abschied nahm.
Und dennoch sah uns Niemand düster,
Und traurig, wenn die Kasse litt,

Der unterthänige Philister
Bot unverwüstlichen Credit.

Dann waren wir der Welt Gebieter,
Dann tönten laut in reiner Lust
Die Hochgesänge deutscher Lieder,
Von Lieb' und Wein aus freier Brust.
Wir saßen, bis die Sterne sanken,
Verschmähend stiller Nächte Ruh,
Wir saßen fröhlich da, und tranken
Dem ernsten Leben Smollis zu.

»Smollis, ihr Füchse! werdet weiser,
Und trinkt, wenn ihr Comment versteht.«
»Smollis, ihr Herrn, ihr alten Häuser!«
»Fiducit, seliger Poet!«
»Ich trinke diesen vollen Becher
Der ganzen linken Reihe vor,«
»Trinkt Brüder! trinkt fidele Zecher!
Ertöne, frohes Jubelchor!«

Der schöne Louis sprach von Käthchen,
Auch du, Bartolus, altes Haus,
Du brachtest deinem treuen Mädchen

14

Manch donnergleiches Vivat aus.
Der blasse Karl sprach von Erschießen,
Und von verschmähter Liebe Pein,
Und ließ den Scharlachberger fließen,
Und stürzt' ein volles Glas hinein!

Jetzt ward es still, es neigten Alle
Das Ohr dem ernsten Hochgesang,
Als nun mit königlichem Schalle,
Pomphaft »der Landesvater« klang.
Es schnitt die Klinge durch die Hüte,
Der Schläger ging von Hand zu Hand,
Und Schwüre deutscher Männerblüthe
Ertönten dir, mein Vaterland.

Den strengen Herrn Prorektor führte
Der Weg just bei dem Haus vorbei,
Magnificenz scandalisirte
Sich höchlich über das Geschrei.
Den Hofrath aber gegenüber
Floh Morpheus, und er schrie im Bett:
So wollt' ich ja beim Himmel lieber,
Der Teufel hielte dort Bankett!

O hypochondrisches Gemüthe!
  O grämliche Magnificenz!
Seht, ich vergeb' euch, denn es blühte
  Euch damals keiner Jugend Lenz.
Doch merkt, ihr Herrn, auf meine Rede,
  Euch warnt der alte Musensohn:
Sprecht nie in eurer Weisheit schnöde
  Dem goldnen Traum der Jugend Hohn!

Ich war ein Gott, ach damals drückte
  Noch keine Sorge mein Gemüth,
Die Blumen waren, die ich pflückte,
  Aus frischem Boden aufgeblüht.
Ja, als die Welt, das ganze Leben
  Mit allen Schätzen vor mir lag,
Schlug meine Seel' in mächt'gem Streben
  Noch kühner ihren Flügelschlag.

Nun ist's vorbei, der Traum verklungen,
  Die Ideale sind entflohn,
Ein Knecht, leibeigen und gedungen,
  Ist nun der freie Musensohn.
Die Acten und die gift'gen Sorgen
  Umlagern mich, es wiederkäut

Sich heute ekelhaft, wie morgen,
  Die traurige Alltäglichkeit.

Ach Alles hast du mir genommen,
  Du ödes Philisterium,
Den Glauben selbst, den kindlichfrommen,
  An meiner Freundschaft Heiligthum.
Gib mir die herrlichen Gefühle
  Von Leben, Lieb' und Menschenglück,
Gib meiner Träume goldne Spiele,
  Und meine Hoffnungen zurück!

Du trauriges Philisterleben,
  Was kann mir deine Herrlichkeit
Für einen einz'gen Tag nur geben
  Aus meiner frohen Burschenzeit?
Am Sessionstisch angebunden,
  Dem Sclav an der Galeere gleich,
Wird, denk' ich an die trauten Stunden,
  Vor Wehmuth meine Seele weich!

Zweiundzwanzigstes Kapitel.

Aber Herr Gabelstich, rief Haase, ich glaube, nun wird der Fuß in den Stiefel fahren. Zweifelhaft bleibt's zwar immer wegen der Stopferei, welche da an der Ferse vorgenommen ist.

Ich wollte, sie hätten dir das Maul zugenäht! Schaffe den Stiefel her!

Die Probe begann von Neuem, indem Gabelstich mit dem Stiefel in dem Zimmer umhertappte.

Eilen Sie sich nur, meinte Haase vorwitzig, die Pferde unten vor der Thüre sind nicht mehr zu halten.

Um wieviel Uhr, fragte Erasmus, indem er seufzend den Stiefel mit den Händen zum Marschiren zwang, um wieviel speist man im Ritter zu Kassel?

Um 1 Uhr rief ich. Die Puddings und die Köhle werden ohne Zweifel schon bereitet.

Gesetzt auch — ich brächte — den Höllenstiefel — endlich — an den Fuß — Eduard — was würden — meine Hühneraugen — ich hatte mich so gefreut, und dachte — es sollte eine recht fidele Reise geben — nun muß der Henker so einen verfluchten — Stake — wenn der Kerl nur nicht Stake hieße — ich habe ja keinen Chinesenfuß — Haase nimm's in Acht, der Stake macht mir nie wieder ein Paar — Stiefel!!!! (schrie er überlaut, denn der Fuß war so eben hineingeritscht). Haase schrei Hurrah!

Hurrah! schrie der Junge die Treppe hinunter.

Endlich saßen wir zu Pferde. Ich ritt einen Grauschimmel, der ein Harttraber und auf einem Auge blind war. Gabelstichs Roß war hartmäulig.

Der Weg führte zunächst bei der Anatomie vorüber. Hier hielt Erasmus still. Ich fragte ihn nach der Ursache. Er wußte sie selbst nicht. Es soll mich wundern, meint' er, wann ich weiter reiten werde. Gebrauche doch die Peitsche, rief ich. Er that's, aber das Thier schüttelte den Kopf, und drehte sich im Kreise herum. Haase, der uns nachgesehen hatte, kam zu Hülfe. Ihm gab Erasmus die Peitsche, und Haase wichste nun Pferdefüße, statt Menschenfüße. Endlich ging's. Vor dem Groonder Thore angelangt, macht' ich den unmaßgeblichen Vorschlag, Trab zu reiten. Ich sollte denken, meinte Erasmus, wir dürften's wagen. Im schnellen Fluge passirten wir die Barrieren von Göttingen. Hätten die Spanier, als sie zuerst nach Amerika kamen, auf Pferden wie das meinige, geritten, so hätten die Wilden keinen Menschenverstand gehabt, wenn sie noch geglaubt hätten, daß

Mensch und Roß ein zusammengewachsenes Geschöpf seien, denn ich zeigte bei jedem Schritte meines Pferdes, daß wir beide durchaus nicht zusammengewachsen waren. Was meinen Reisegefährten betraf, so hält kein Dachdecker, der auf dem Knopfe des Straßburger Münsters sitzt, diesen Knopf fester, als der Theologe den Sattelknopf. Er schimpfte mitunter wieder über den Schuster, da die neuen Sohlen zu glatt waren, um die Steigbügel festzuhalten. Wir hatten auf diese Weise schon das nächste Dorf erreicht, und ich ließ den Gaul wieder Schritt gehen, Gabelstich aber trollte gemüthig fort.

Halt! schrie ich.

Ja Halt! du hast gut Halt rufen, hört ich Erasmus erwiedern. — Schon der nächste Augenblick hatte ihn weit von wir hinweggeführt. Er schien die Welt erstürmen zu wollen, und alles zu vergessen. Ich wollte ihn einholen, gab aber den Vorsatz auf, als ich sah, wie Gabelstich kurz vor dem Walde, den er bereits erreicht, sich in Galopp setzte. Ich sah ihn nur noch mit den Armen arbeiten, und die Bügel, wie zwei Fittige, an beiden Seiten des Gaules auf- und niederschweben. Jetzt konnt' ich ihn kaum noch sehen. Nun verschwand er hinter den Bäumen. Ich besorgte, daß der Gaul seinen Reiter, der des Weges unkundig war, irre führen, vielleicht in Wildnisse und Einöden tragen würde. Er ist ein famöser Reiter! dacht' ich. Aber siehe! als ich in den Wald kam, hatte mir Erasmus daselbst ein freundliches Zeichen zurück gelassen. Seine Mütze, kenntlich am grünen Tuchschilde, hing auf einem schattigen Buchenbaume. In Dransfeld stieg ich im Gasthofe an der Straße ab, und trat in die Stube. Hier saß Erasmus mit heiterm Gesicht, und hielt mir ein Glas Rothwein entgegen. Du siehst, rief er, ich habe schon für uns gesorgt, damit wir weiter keinen Aufenthalt haben. Als du Halt! riefest, zog ich die Zügel an — aber kannst du einen Cometen beim Schweife packen, und ihm sagen: steh Hund? Kannst du in das Rad des Schicksals greifen, und abwenden, was die finstern Mächte beschließen? Sie hatten beschlossen, daß ich traben sollte, Eduard, traben, immer traben. Als ich mich hiervon überzeugt hatte, entsagt' ich der Welt, und nahm Abschied von Göttingen, und von dir, und von Allem, was mir theuer ist. Ich fühlte lang getragene Ketten von meiner Seele fallen, mich plagte nunmehr nichts weiter, als die Neugierde, in welchem Königreiche der Erde mein leidenschaftliches Roß stille stehen würde. Ich sah schon im Geiste, wie Revierförster und Mauthbeamten mir Schrotschüsse auf den Pelz brannten, wie ich steckbrieflich verfolgt wurde, über fallende Barrieren setzte, unschuldige Kinder todt ritt, und endlich in die Hände, Gott weiß welcher Justiz fiel. Was mich tröstete, war, daß es geradeweges nach Süden ging, also nach der Schweiz, oder nach Italien. Was werden sie, dacht' ich, in Lillerode sagen, wenn du beim Hause vorbei sausest. Mir wurde sehr warm. Da lüftete mir ein freundlicher Buchenbaum die Mütze vom Haupte. Eduard, dacht' ich, mag sie, wenn er sie findet, als Andenken an mich behalten. Ich erreichte Dransfeld. Hier sah ich eine offene Stallthür. Dies elende Werkzeug, dacht' ich mit Marie Stuart, könnte mich retten, brächte mich schnell zu befreundeten Stätten. Und so geschah es, denn mein Gaul sah kaum die Thüre, als er sich links wendete, und in gestrecktem Trabe so, daß ich kaum Zeit hatte, mich zu bücken, in den Stall hinein schoß, und vor der Krippe stehen blieb. Ich wußte nunmehr nichts Besseres zu thun, als abzusteigen, um zu sehen, ob dich ein günstiges Geschick wieder mit mir vereinigte. Gut, daß du nun da bist, sammt der Mütze. Laß uns anstoßen. Mein Gaul, der so viel Sinn für Häuslichkeit hat, soll leben. — Und auch der Mann, der die Sattelknöpfe erfunden hat, rief ich.

Die Gläser klangen, und wenige Minuten nachher saßen wir wieder gestärkt auf den Rossen.

Dreiundzwanzigstes Kapitel.

Ich erlaube mir einen philosophischen Seitenpas über Hegel, und schieße gleich im Voraus folgenden Vierundzwanzig-Pfünder los: die Hegelschen Grundsätze sind lächerlich. — Diese Behauptung schlägt Hegel und seine Schule gänzlich.

Wäre übrigens der Leser ein Erz-Cujon,

oder ein Jurist, so würd' er mein absprechendes Wesen in der Ordnung finden, und mir Recht geben. In beiden Fällen nämlich würd' er wissen, daß in der Gaunersprache das Wort Hegel auf deutsch Narr heißt *). Ich rede also, wenn ich von Hegel und von Hegelismus rede, lediglich von der Narrheit.

In der That! es gibt mehr Narrheit in der Welt als man glaubt. Alles Uebrige ist Vernunft oder Niederträchtigkeit, und mit 20 guten Satyrikern und 20 guten Pastören wollt' ich allen Kehrigt zum Lande hinaus schaffen. Die ersten brauchten blos zu schreiben, die letzten blos zu reden. Jeder guten Regierung mache ich den unmaßgeblichen Vorschlag, wie sie Pupillen-Forst-Finanz- und andere Collegia hat, ein Satyrencollegium zu

*) Wörterbuch der in Deutschland üblichen Spitzbubensprachen, von F. L. A. v. Grolman. Erster Band. Gießen, bei Müller 1822. Seite 28.

organisiren, aus etwa zwölf Rabenerschen Köpfen, die ein Inquisitoriat für die Narrheiten des Landes bildeten, und für jede Narrheit, die beim Collegio zur Untersuchung oder Bestrafung käme, eine Satyre in bester Form Rechtens abzufassen und auszufertigen hätten. Für Kurhessen würd' ich aus Patriotismus statt 12 Mitglieder, deren 36, und außerdem auch zwei Instanzen vorschlagen. Jedenfalls würd' es aber in constitutionellen Staaten zu einer solchen Einrichtung, da sie die persönliche Freiheit, ein Narr zu sein, im höchsten Grade beschränkt, der ständischen Einwilligung bedürfen. Außerdem mache ich darauf aufmerksam, daß es, um Competenzstreitigkeiten zu vermeiden, nöthig sein wird, die verschiedenen Narrheiten zu classificiren. Oben an würd' ich stellen die politischen Narrheiten, welche die besondere Beachtung des Satyren-Collegii verdienen. Zu ihrer Bestrafung eignet sich am besten die Ironie. Da nun diese in dem scheinbaren Nachahmen der Narrheit besteht, so lob' ich alle Justizbehörden, welche bisher schon, ohne meinen Vorschlag abzuwarten, diesen Weg eingeschlagen haben. — Mündlichkeit und Oeffentlichkeit würd' ich beim Satyren-Collegium einführen, und die Behauptung, diese Einrichtung würde eine Schule für Narren sein, nachgeben und ertragen. —

Erasmus und ich waren ungefähr noch eine Stunde von Münden entfernt, und bis dahin immer Schritt geritten. Ich machte wieder den Vorschlag, zu traben. Gabelstich protestirte heftig, und versicherte, dies nicht eher wagen zu dürfen, als bis wir noch ein Viertelstündchen von Münden entfernt seien, indem der Gaul erst an diesem Orte würde zum Stehen zu bringen sein. So geschah's. Im Trabe rief Erasmus: Nun laß uns Verabredung treffen, wo wir in Münden zusammen kommen wollen, denn ich weiß noch nicht, wo mein Brauner einkehren wird.

Solltest du wider Erwarten, sagt' ich, nicht in der Krone vorsprechen, so komm doch, wenn du abgestiegen bist, dorthin.

Schon bei den ersten Häusern der Stadt bückte sich der Freund, sobald er eine Hof- oder eine Stallthür sah, und fuhr endlich mit Vehemenz durch die große Hausthüre in die Krone hinein. — Welch ein unausstehlicher Ort! rief er beim Absitzen. Ueberall riechts nach Schiffstheer und Kaufleuten. Ueberdies verlor ich bereits vor der Stadt die Stege an beiden Füßen, und trabte in Ritterstiefeln.

Erasmus hatte Kassel noch nicht gesehen, was auch meine Heimath damals noch nicht war. —

Dem Maienstrauße zu Gefallen, der hier vor mir liegt, und mit Gotteshauch mich anweht, ertheile ich hiermit den guten Einwohnern der Residenzstadt Kassel einen Generalpardon für jede Brustwunde, die sie mir mit Narrenschellen gerissen haben. Dadurch ist meine Brust groß und weit geworden, und ich habe eine Heilanstalt darin angelegt für die Irren, und einen Gottesacker für den Groll. Der Pardon dauert jedoch vorläufig nur 1 Jahr. Die Geißel liegt neben mir auf dem Tische. —

Um 1 Uhr saßen wir im Ritter am Mittagsessen. Dieses Gasthaus zeichnet sich durch eine gewisse Gemüthlichkeit aus, welche den andern Gasthöfen fehlt. Man trifft da nämlich wenig reisende Handlungscommis, aber aus den Landstädten kommen dahin Pastöre, die sich um Stellen melden, Bürgermeister, Stadtschreiber, Rentmeister, Amtsaktuare, Wollverkäufer, Privatdocenten und Candidaten, die das Examen machen wollen. Aus der Residenz aber findet man da alte pensionirte Militärs, in Tabacksdampf eingehüllt, hagestolze

Repositare und u. a. Halbschöppchens-Leute. Meinen Freund hatte das Residenzleben schon ergriffen. Sein Gesicht wurde lebhafter, der Mund gesprächiger, und bei Tische blitzte seine Unterhaltung rechts und links, aber die Philister waren so indolent, daß ihnen die besten Witze Gabelstichs unter der Nase hersprühen konnten, ohne daß sie zuckten. Nach Tische fuhren wir nach jenem Elysium, daß der Alcide bewacht, nach jenen himmlischen Partieen, Feengrotten, Chrystallbächen und Riesenwerken von Wilhelmshöhe, vor denen ich schweigend meine Feder niederlege. Wer dieses Paradies gesehen hat, rufe sich dort verlebte Stunden zurück. Dieser Erinnerungs-Abglanz wird immer noch stärker und seliger sein, als die Copie, die ich zu liefern vermag. Unter andern stand ich mit Erasmus nicht weit vom Herkules, wo die Vexir-Fontainen springen. Ein langnasiger Stutzer stand neben uns mit der Lorgnette. Von der nahen Felsenhöhe schaute eine engelschöne Dame. Schon waren die Wasser losgelassen, und die Hörner der Tritonen sangen schaurig durch die weite Gegend. Da plötzlich sprangen schäkernde Wasserstrahlen aus allen Löchern um uns her, und übergossen uns mit Staubregen. Der Stutzer sprang, wie ein gescheuchtes Reh, zu seiner Dame, und führte sie am Arme dahin. — Gegen Abend zurückgekehrt, besuchten wir die Felsengarten. Wir sahen von da, wie von einer Altane herab, in die weite Ebene, in den schönen rosigen Abend. Der Strom floß still und sanft. Auf der Straße zogen die Postillione mit den Pferden und bliesen, die Vesperglocken läuteten, die Berge glühten, purpurne Lämmerheerden weideten am Himmel. Aber im Garten waren viele Leute, darunter auch Menschen, und kleine Schooßhündchen, und viele feine Herren und Damen, und es fand sich auch die fremde Dame, die wir in Wilhelmshöhe gesehen hatten, mit den großen schwarzen Augen ein, und der langnasige Hasenfuß — er war ihr Bräutigam — führte sie wieder am Arme. Jetzt kamen auch vier Tyroler-Sänger, drei Männer und ein Mädchen. Sie trugen schwarze spitze Filzhüte mit breiten Rändern, und Blumen oben drauf, und die Männer hatten schwarze Manschesterjäckchen, und desgleichen Westen, Gürtel mit großen Schildern, und kurze Hosen, und treue ehrliche Gesichter. Das dunkele Auge des Bassisten kam mir vor, als hätt' es viel Schwermuth von den Alpen her in das fremde Land mit sich getragen. Das Mädchen hatte ein einfältiges nichtssagendes Gesicht. O wie lieb war mir diese Einfalt! Sie war nicht aus dem Palais-Royal, auch nicht aus einem Claurenschen Romane. Sie war aus dem Zyllerthale, und daher waren auch die Lieder, welche die Leute sangen. Während die Alpenlieder tönten, hatte sich der Langnasige die gedruckten Liedertexte von den Tyrolern gekauft, und las immer nach, und freuete sich, daß das in dem Büchelchen richtig drin stand, was die Leute sangen. Ich erinnerte den Freund daran, daß wir das Theater besuchen wollten.

O laß uns hier bleiben, Eduard, rief er, und dem Gesange zuhören! Diese Töne bannen mich fest. Wenn einmal die rauschenden Synphonieen des Lebens am Ende sind, Eduard, und die Ouvertüren, Barcarolen, und Comödien und Maskeraden, und der ganze angstvolle qualvolle Spektakel aus ist, und ich recht müde bin, dann möcht' ich mir ein Tyrolerlied von diesen Leuten *) vorsingen lassen, und die Töne würden das müde Herz wiegen und

*) Es waren die Gebrüder Leo.

ihm Frieden geben. Sie würden ein Zyllerthal in meine Seele tragen. Höre nur! wie Heimathglocken, wie Scenen aus der Kindheit, wie Sehnsuchtsruf aus unbekannten Thälern schlagen ihre Wellen an meine Seele. Wie ein Mährchen aus der Knabenzeit erzählen sie mir von den Friedensthälern, die ich suche, und die ich nicht finden kann. Sie plaudern mir so viel vor, daß ich die rauschende Freischützoper des Lebens gar nicht mehr hören möchte, und es tauchen wieder die alten kindlichen Gedanken herauf, welche die Mode hinab getreten. Die Menschen, Eduard, welche diese Töne nicht verstehen, die soll man fliehen, das sind keine guten Menschen, und die Kapellmeister, die sie nicht verstehen, das sind schlechte Kapellmeister, — nur das Herz das sich vor ihnen öffnet, das möcht' ich grüßen, und ihm sagen, daß ich es liebe!

Es wurde dunkel. Auf einer kleiner Brettererhöhung stand das Kleeblatt aus dem Zyllerthale, mit dem Rücken nach der weiten Gegend hin, in der sich eine warme stille Sommernacht gelagert hatte. Die Tyrolerhüte schnitten sich am besternten Himmel ab. Vor der Gruppe, tiefer als sie, brannten einige Windlichter, die eine romantische Beleuchtung auf die Tracht der Tyroler, und auf das große dunkele Auge des Bassisten warfen. Und der Sternenhimmel, und die unabsehbare Landschaft im Hintergrunde, und die Töne, und die Heimathlieder! ach könnt' ich malen, ich hätte das Nachtstück gemacht — wär ich Göthe, ich hätt' es gedichtet!

Aber das Kleeblatt ist nun längst weiter gezogen, und jodelt seine Friedensmelodieen getrost und unbekümmert zwischen das Revolutionsgeschrei der Völker hinein, und die schöne fremde Dame ist vielleicht schon längst gestorben, aber der Hasenfuß wird wohl noch leben.

Vierundzwanzigstes Kapitel.

Abends saßen wir wieder am Tische im Ritter in der düstern, aber traulichen, Gaststube. Beim Essen war Gabelstich zwischen einen Kanzlisten und einen Kaufmann gerathen. Ich saß ihm gegenüber. Sein Auge strahlte von den Erinnerungen des Tages. — Zweifelsohne haben die Herrn, fragte uns der Kanzlist in einem submissen und pedantischen Tone, heute auch Wilhelmshöhe besucht?

Erasmus ließ mich nicht zu Worte kommen, und erwiederte: zu dienen! es war famös voll dort oben, aber Sie sind zu beneiden um dieses Wilhelmshöhe.

Der Kanzlist replicirte: Ja wohl! unser liebes Kassel ist reich an Schönheiten. Aber wenn Sie Wilhelmshöhe einmal am zweiten Pfingsttage besuchen, so werden Sie ganz Kassel dort oben treffen.

Darum ist es unstreitig an diesem Tage am schönsten zu Kassel, rief ich, wurde aber nur von Erasmus verstanden.

Um die gegenwärtige Jahreszeit, fuhr der Kanzlist fort, und tunkte das Brod in die Bratensauce, findet man selten Fremde hier. Jetzt bringen nur unsere Landstände etwas Leben in die Stadt. Es ist dieses in der That recht wünschenswerth, immaßen dadurch Geld unter die Leute gebracht wird. —

Während der Kanzlist solchergestalt über die Landstände ein erschreckliches Seil dreht, hab' ich Muse, ein Lied zu dichten, das mir schon lange auf dem Herzen gelegen hat. Ich nenne es den Tag der Vereinigung.

Wann kömmst du Tag mit deinem heitern Glanze,
Der mir das Kleinod meines Lebens bringt?
Wann kömmst du Tag, der mit dem Myrthenkranze

Das theure Haupt der Einzigen um-
schlingt?
Wann wirst du mir, du sel'ger Tag, ge-
währen,
Was meine heiße Liebe lang ersehnt?
Tag meiner Tage, der mit Freudenzähren,
Gleich Demantkronen meine Sehnsucht
krönt?

Ziel meiner Wünsche, meines ganzen Stre-
bens!
Du Sohn des Himmels, wann begrüß
ich dich?
Tag meiner Liebe du, Tag meines Lebens,
Wann schüttest du das Füllhorn über mich?
Ach wann mit deiner leuchtenden Aurore
Flammst du herab auf meinen dunkeln
Pfad?
Wann öffnest du mir jene goldnen Thore,
Durch die dem Göttlichen der Mensch
sich naht?

Wann wird der Seelenbund geheiligt werden?
Wann werd' ich, Vater in den ewgen Höhn,

Mit Allem, was mir theuer ist auf Erden,
Vor deinem heiligen Altare stehen?
Dich bittend: segne deine frohen Kinder,
Laß über ihrem Glück dein Auge sein!
Wann wird, Allmächt'ger, deines Worts Verkünder
Das ird'sche Bündniß durch den Himmel weihn?

Ja Gott, in deinem Haus, in deinen Hallen,
Wo die Gebete mit dem frommen Lied
In großen Tönen zu dem Himmel wallen,
Wo Glück und Schmerz, und Lieb' und Buße kniet, —
An heil'ger Stufe, wo in sanftem Weinen,
Der Knab' einst seinen Glauben aufgebaut,
Wann wirst du dort auf ewig uns vereinen,
Wann giebst du, Herr, dem Jüngling seine Braut?

Komm schöner Tag, nach dem die Wünsche ringen!
Denk' ich an dich, bin ich ein selges Kind.
O zögre nicht, weil deine bunten Schwingen

Mit Himmeln ach so reich! beladen sind.
Du wirst den Muth dem heißen Streben lohnen,
Der fernen Sehnsucht den geduld'gen Schmerz.
Komm, sel'ger Tag mit deinen gold'nen Kronen,
Schütt deine Himmel in mein glücklich Herz! —

Der Kanzlist hatte eben den Geist der Verfassung citirt, einige Minister abgesetzt, großartige Armeninstitute angelegt, und war — durch Gabelstichs Einfälle, mit denen dieser bald in den Kalbsbraten, bald in des Kanzlisten Patrioten-Herz biß, mißtrauisch geworden — auf das eben erschienene Bürgergardengesetz übergesprungen.

Sind Sie mit diesem Gesetze zufrieden? fragte Erasmus.

Kanzl. O ja, nur wollen mir die vielen Befreiungen darin nicht gefallen.

Das würd' ich weniger tadeln, nahm ein Oekonom, der bisher still da gesessen hatte, das Wort, als vielmehr die Bestimmung im §. 145 dieses Gesetzes, daß, wenn eine Bürgergarde einer Landgemeinde keine 50 Mann zählt, sie keinen Hauptmann haben soll, sondern blos einen Lieutenant, einen Feldwebel, und je auf 10 Mann einen Unteroffizier.

Schon diese drei Offiziere, liebster Herr Amtsrath, rief ich, sind zu viel. Nehmen Sie doch an, daß die Bürgergarden mehrer kleiner Dörfer in Oberhessen nur vier Mann zählen*). Dort muß nach §. 2. des Gesetzes eine Bürgergarde bestehen. Sie darf zwar keinen Hauptmann haben, da sie nicht die gesetzliche Zahl von 50 erreicht, muß aber mit

*) Dies ist in der That der Fall.

einem Lieutenant, einem Feldwebel, und einem Unteroffizier versehen sein. Sonach wird der vierte Mann schon bei weitem von zu vielen Vorgesetzten commandirt.

Hier unterbrachen uns die Töne einer Drehorgel, welche vor dem Hause auf der Straße heulte. Bald hernach trat auch das Weib, welches die Orgel mit Gesang begleitet hatte, herein, und sammelte Geld. — Nach einiger Zeit verloren sich die Gäste, und wir verlangten zu Bette. Erasmus und ich schliefen in einem Zimmer. Beim Auskleiden war er nachdenklich. Auf meine Frage nach der Ursache erwiedert' er langsam: Ich denke eben darüber nach, wie der vierte Bürgergardist, von dem der Amtsrath sprach, und welcher ganz allein von den andern dreien befehligt wird, einige namentliche Commando's executiren will, z. B. »in Sectionen brecht ab, vorwärts marsch!« Wahrlich, Eduard, dieser vierte Kerl dauert mich.

Mich nicht, sagt' ich, denn es tritt ihm kein Hintermann auf die Fersen.

Das freilich, auch das Schritthalten wird ihm leicht werden. Aber gesetzt den Fall, er soll eine Straße sperren, Eduard, oder er soll ein Spalier bilden. Wie macht er's?

Dagegen gereicht's ihm zum Vortheil, sagt' ich, daß, wenn er wegen Dienstvergehen eingesteckt wird, er sogleich wieder losgelassen werden muß, sobald die bewaffnete Macht des Ortes requirirt wird.

Richtig! sagte Erasmus, und sprang in's Bett. Aber wenn ihn nun der Commandeur versammelt, und ihn einen Kreis formiren läßt, und am Ende ruft: »Auseinander marsch!» Was soll er anfangen? Oder posito, er wird im Nothfalle zur Landesvertheidigung gebraucht, und erhält Befehl, sich auf ein feindliches Regiment zu werfen, und Bataillonsfeuer zu geben, wie würd' er das machen? Oder er soll einen Kegel formiren, solchergestalt vorrücken, und im entscheidenden Momente beide Flügel entfalten, — welche Anstrengung würd's ihn kosten, da er nicht einmal einen Flügel hat! — »Auf den ersten Zug links deployirt, Division links um!« Wie soll der Kerl deployiren? — »Oeffnet die Glieder!« das kann Niemand ohne Unbilligkeit von ihm verlangen. Höchstens das Maul würd' er aufsperren. — »Auf den ersten Zug schließt die Colonne!« Der Zug ließe sich wohl thun, aber die Colonne ist bedenklich. Was kann eine solche Bürgergarde im Felde thun?

»Dritten Mann abschlagen« *) sagt' ich.

»Richtpuncte vor!« »Division mit Zügen vom rechten nach dem linken Flügel vorwärts ab-

---

*) Ein bekanntes Spiel.

marschirt!« oder »In Reihen gesetzt, Division rechts um! Marsch!

Lassen wir ihn! fiel ich ein, als Gabelstich im Bette immer fortcommandirte. Ich bin müde und will schlafen.

Das Licht wurde ausgelöscht. Doch der Schlaf schien mich zu fliehen. Es war stockfinster. Keiner von uns rührte sich. Ich überdachte die Begebenheiten des Tages und verlor mich in allerhand Gedanken. Ungefähr nach einer halben Stunde hört' ich plötzlich, wie Erasmus, den ich längst schlafend glaubte, laut wurde, und vor sich hin murmelte: rumbumbum! rumbumbum! didirumbumbum!

Was machst du denn, Gabelstich?

Er entschuldigte sich, mich gestört zu haben. Ich dachte mir so eben, sagt' er, wie der Kerl zugleich Tambour sein könnte, und wie er Morgens umherwandelte, und sich seine eigene Reveille schlüge.

16

Entschlage dich dessen, rief ich, und schlafe doch endlich. Er versprachs.

Nach einiger Zeit begann ich in das Reich der Träume hinüberzuschlummern. Bilder aus Lenzbach umgaukelten mich, mit denen sich die Abendgesellschaft im Ritter toll vermischte. Ich saß wieder an die Thüre der Bodenkammer hingekauert, vorin die einsame Harfe stand, und sah Regimenter vorbeimarschiren. Darauf kamen die Landstände in Procession einhergezogen, mit sanfter lieblicher Harfenmusik, und der Kanzlist marschirte voran, und docirte und jodelte dazu, wie die Gebrüder Leo. Als aber die Harfenmusik begann, da öffnete sich plötzlich die Bodenkammer, und ich hörte meinen Namen rufen. Ich schrak zusammen.

Lieber Eduard, sagte zaghaft Erasmus, eines quält mich noch. Wenn der Kerl nun ein Quarré formiren soll —

Ei in des drei Teufels Namen, rief ich

ärgerlich, so mag er sehen, wie er's zu Stande kriegt. Höre endlich auf.

Ich bin auch nun vollkommen beruhigt, sagte der Freund, und legte sich auf die andere Seite. Es mag mit dem Kerl gehen, wie Gott will, und die Cavallerie mag ihn meinetwegen nach allen vier Winden zersprengen. — Hier schlief der Theologe ein.

Fünfundzwanzigstes Kapitel.

Die Herrn, sagte am andern Morgen der Kellner, als er Frühstück auf unser Zimmer brachte, waren gestern Abend noch spät munter.

Haben wir Jemand gestört?

Hier nebenan logiren zwei fremde Damen, welchen der Herr Gabelstich den Schlaf wegcommandirt haben.

Wie heißen die Fremden? fragte Erasmus, ich will mich bei ihnen entschuldigen.

Es ist eine Pfarrerswitwe mit ihrer Tochter.

Woher?

Aus Lillerode, soviel ich weiß.

Aus Lillerode? fragt' ich, und sah Erasmus an. Dieser erschrak, entfernte den Kellner, trat auf mich zu, faßte meine beiden Schultern, und sagte: Nun, lieber Eduard, kannst du die kleine Marie, die einst die Lampe beschien, als der Pfarrer den Schirm hob, und die nun ein großes hübsches Mädchen geworden ist, mit eignen Augen sehen. Geh hinüber und entschuldige mich. Ich vermag's nicht. Du bestellst auch wohl zugleich unsre Pferde.

Ich rief, während Erasmus sich auf das Sopha setzte, den Kellner zurück, und erkundigte mich: wann die Damen wieder abreisen würden.

Nach zwei Tagen, war die Antwort. —

Wollen wir den wirklich weg, Erasmus?

Er schwieg, und sah vor sich hin.

Lass uns vergnügt sein, Erasmus, es ist ja doch nun einmal nicht anders. Du solltest eigentlich geradezu in das Feuer hineingehen, in das dich der Zufall geführt hat. Laß uns nicht retiriren, sondern hier bleiben. Faß einmal den Muth, deinem Schicksal offen in das Auge zu sehen!

Ja du hast Recht, rief er endlich resignirt, und sprang auf. Ich will nicht davon laufen. Ich will den Kelch austrinken bis auf die Neige, und er soll mir gut schmecken, und ich will lustig sein, weil ich meinen alten Schatz wiedergefunden habe. Lachend stieß er mit mir ein Glas Rothwein an, und fuhr fort: Der alten Mutter will ich dankbar die faltige Hand küssen, die Hand, die mir so oft die Wange gestreichelt hat, und die Marie und den Conductor segnen wird, und will mich der Zeit, wo mich der sel. Pastor die Conjugationen lehrte, erinnern, und will der Marie zeigen daß ich nichts verlernt habe, und will ihr Gerundia und Participia vorconjugiren, daß sie sich freuen soll, und ihr erzählen, wie emsig ein alter dummer Gram in dieser morschen Brust sitzt, und amare conjugirt, und will ihr gratuliren, daß sie eine Braut ist, und ihr wünschen, daß sie und der Conductor recht glücklich sein mögen, so glücklich — so glücklich — wie ein Conductor nur zu sein vermag. Wahrhaftig, Eduard, ich möchte heute Abend bei Tische neben ihr sitzen, und ihr Braten und Salat die Fülle zukommen lassen, und ihr die alte Rose, die sie mir einmal in Lillerode geschenkt hat, in den Salat schneiden, und ihr Rothwein einschenken, wie mein Herzblut, und mit ihr anstoßen, und rufen: na, Marie! trinke, es war doch eine schöne Zeit, als wir uns so lieb hatten! — —

Erasmus sprang auf, um durch den Kellner dafür zu sorgen, daß die beiden Damen unsre Namen nicht erführen.

Plötzlich erhob sich vor der Hausthüre ein lautes Pferdegetrappel und Wagengerassel. Es waren sechs Göttinger Studenten. Sie kamen, als sie hörten, daß Commilitonen da seien, herauf zu uns. Einen von ihnen, Alexander von der Hort, kannt' ich schon früher. Er war ein blühender Jüngling, dessen Auge ein Diomedes-Auge, und dessen Seele eine Feuerlilie war. Wein! Marcus! rief er dem Kellner schon auf der Treppe zu. Das Frühstück bekam eine größere Ausdehnung. Alexander hatte sich mit einem seiner Begleiter auf der hannöverschen Grenze geschossen. Das Duell war mit Glück beendigt, und Alle hatten nun den Vorsatz gefaßt, nach Kassel zu reiten, und dort das Geld, das für den Ueberlebenden zur Flucht bestimmt war, fröhlicher zu verwenden. Der Vorschlag, in Wilhelmshöhe zu essen, wurde angenommen. Der Zug flog durch die Wilhelmshöher Allee, Gabelstich mit zwei Ritterstiefeln und der Satyre im Herzen voran. Wir schwelgten in den riesigen Schönheiten, ließen Johannisberger fließen, klommen in die Keule des Herkules hinauf, und kehrten erst am Abend zurück, sahen im Theater die Webersche Oper Oberon, und zogen darauf wieder nach dem Ritter. Als wir in die Gaststube traten, mochte es wohl in Gabelstichs Herzen laut pochen. Aber wir fanden die Damen aus Lillerrode nicht, und setzten uns zu Tische. Außer uns bestand die Gesellschaft aus dem Kanzlisten von gestern Abend, einem Inspector, zwei Musikern und einem pensionirten Major, dem ich's an seinem pfiffigen Kopfwackeln ansah, daß er der König der Philister war. Der Kanzlist war zornig von gestern Abend her, und sprach kein Wort, sondern saß da, wie ein brüllender Löwe, und der Patriotismus klotzte ihm fürchterlich aus den Augen. Der eine Musiker zankte sich mit dem andern, der ein Enthusiast für Weber war. Beide kamen aus dem Theater. Ich lobe mir Rossini, rief der erstere, und seine klingenden Compositionen, die den Hörer in's Paradies versetzen —

Und glauben machen, der Himmel hinge voll Triangel und Geigen, rief der andere. Ich weiß nicht, wie man Weber und Spohr so verkennen kann.

Sage mir kurz dein Urtheil über beide, sagte jener.

Wenn du willst, über alle drei.

Spohr ist ein Kunstgarten voll tropischer Pflanzen, mit betäubendem Balsamduft. Weber ist ein englischer Garten, vom Mondscheine beleuchtet, mit blühenden Terassen, stürzenden Bächen, rauschenden Platanen. Fernhin hört man Hörner klingen, ein Gewitter steigt auf, und luftige Elfen tanzen auf dem Grase. Rossini ist ein Kindergärtchen, worin hübsche Aurikeln, Schneeglöckchen und Gänseblümchen stehn.

Erasmus fiel unberufen ein, und nannte den Tempel der Kunst eine Kirche. Darin ist Spohr, fuhr er fort, die ernste Glocke, welche die andächtigen Jünger zur Anbetung ruft. Weber ist die Orgel, die eine Fluth genialer Töne, erhaben und lieblich, durch die Hallen sendet, und Rossini ist —

Was ist Rossini? rief die Gesellschaft.

Nun, fuhr Erasmus fort, Rossini ist der Klingelbeutel.

Es gab ein Gelächter.

Der Major suspensirte sein Urtheil, bis die Nachwelt über diesen Punkt entschieden habe.

Der Inspektor meinte: die Geschichte mit dem Hüon sei ihm zu unwahrscheinlich.

Alexander von der Hort und die übrigen Burschen sprachen nur mit Entzücken von der Sängerin Roland, und ließen sie bereits zum drittenmale leben. Es hat aber nichts geholfen, denn sie ist im vorigen Jahre gestorben.

Ein ziemlicher Lärm herrschte im Zimmer, als die Pastorin von Lillerode mit ihrer Tochter hereintrat. Erasmus erbleichte, und stotterte viel von unverhofftem Zufall. Die Pastorin war voll Theilnahme und erfreut. Marie, ein wirklich sehr schönes Mädchen, in ländlicher Kleidung, mit einem großen Strohhute, und einem Shawl vom Oekonomen, nahm ein ernstes Brautgesicht an, welches dem Freunde sogleich seinen Muth wieder gab. Mir schlug das Herz, als ich sah, wie er sich an ihre Seite setzte. Er war so galant, wie ich ihn nie gesehen, und las jeden Wunsch in Marieens Auge. Bald verloren die Damen, da sie Gabelstich so privilegienmäßig unter seine Flügel nahm, die strenge Berücksichtigung der übrigen Studenten, welche ein über das andere Mal die Gläser klingen ließen. Die Pastorin wurde indessen angelegentlich von Alexander von der Hort über die Vorzüge des städtischen Lebens unterhalten. Die beiden Musiker waren noch nicht einig über Rossini, und der Major beschrieb dem Inspector die Melodie des Spießruthenmarsches, der zu seiner Zeit üblich gewesen. Marie blieb also allein für Erasmus übrig.

Wie geht es ihnen denn, Fräulein Marie?

Gut, flüsterte das Mädchen, und Ihnen?

Mir gehts kreuz fidel, lachte Erasmus.

Dichten Sie noch fleißig?

Ich dichte wohl, aber ich trachte nicht mehr. Und auch meine Leier ist scheußlich herunter gekommen, darum werde ich sie nächstens an einen Dorfmusikanten verkaufen, der in Lillerode spielen könnte, wenn Kirmes dort ist. Wenn Sie dann das alte Instrunent einmal wieder hören würden, beim nächtlichen Tanze fröhlicher Bursche und Mädchen, vielleicht dächten Sie dann an mich.

Werden Sie nicht bald wieder einmal die Heimath besuchen?

Ach nein, sagte Erasmus, ich habe keine Heimath mehr, mein Vater ist todt, und meine Mutter ist todt, und meine Schwester ist todt, und meine Liebe ist todt. Trinken Sie Franz= oder Rheinwein?

Marie suchte vergebens, mit Erasmus auf ein gleichgültiges Kapitel zu kommen.

Beim Nachtische ließ sich wieder die Drehorgel vor der Hausthüre hören, und spielte den s. g. Trauer=oder Sehnsuchtswalzer von Bethhoven, und der Orgeldreher schrie dazu mit der Stimme des Sturmwindes die bekannten Worte:

O süße Himmelslust
Webt durch die trunkne Brust,
Bin ich bei dir, bei dir,
Lächelst du mir!

Aber welch großer Schmerz,
Der mir durchbohrt mein Herz,
Bist du mir, lieber Stern,
Bist du mir fern!

Als Erasmus, den Niemand außer mir beobachtete, den schreienden Orgelkerlen hörte, wurd' er lustig, und ließ ohne Rücksicht auf die Casse Champagner kommen.

Marie that sich Gewalt an, heiter und unbefangen zu sein.

Kennen Sie den Walzer? fragte er sie, und fuhr, ohne auf eine Antwort zu warten, fort: es ist eine wunderbare Musik, dieser Walzer, werthestes Fräulein. —

Es wäre mir unmöglich, auf dem Lande zu wohnen, sagte Alexander.

Sie trinken doch Champagner? fragte Erasmus. Wenn ich diesen Walzer höre, so kommt es mir immer vor, als wenn ein alter Liebesschmerz sich einmal einen guten Tag machen wollte, und zwischen blühenden Bäumen umher hinkte, und jene Walzermelodie krähte. Aber befehlen Sie denn gar keine Radieschen, Fräulein Marie? oder ziehen Sie Kuchen vor?

Diese ewigen Modulationen! Keine zwei Takte bleibt er in einer Tonart, sagte der Musiker.

Erinnern Sie sie sich noch, Fräulein Marie, hört ich Erasmus fortfahren, wie wir beide als Kinder in dem Gärtchen vor Ihrem Hause im Sande spielten, und Sie Kuchen backten, die ich nicht essen wollte, und wie ich alle Sonntag Morgen geputzt hinüber nach Ihrem

Herrn Vater ging, um die Nummer des Liedes für den Gottesdienst zu holen, und wie Sie Abends zu uns kamen, um den Papa abzuholen, und wie ich Ihnen dann von meinen Kenntnissen vorprahlte?

Wohl, flüsterte Marie. Das Haus hat sich inzwischen verändert, und der Garten ist zur Landstraße benutzt.

Wer nicht tüchtig auf den Delinquenten hieb, auf den wurde selbst geschlagen, sagte der Major.

Schade, fuhr Erasmus fort, dieser Garten war immer mein Lieblingsplatz, und wir haben manche Narrheit da getrieben, über die ich hernach noch bittere Thränen gelacht habe.

Ja! das schwör' ich Ihnen bei Gott zu, das Blut floß den Kerls stromweise am Rücken herunter, und sie pfiffen, wie die Heidelerchen, eiferte der Major.

Aber hören Sie nur den himmlischen Wal

zer, sagte Erasmus zu Marie, und wie der Orgeldreher dazu schreit!

Sie lebe! riefen die Studenten, und ließen die Gläser läuten.

Ists nicht, sagte Gabelstich, als wenn der heulende Jammer in Escarpins und Tanzschuhen wahnsinnig durch die Welt liefe, und immer schriee: o süße Himmelslust bebt durch die trunkne Brust, bin ich bei dir, bei dir, lächelst du mir. Trinken wir ein Glas Champagner, Marie! die gute alte Zeit soll leben!

Marie zitterte, und sagte leise: auch die Kirche ist neu gebaut worden, und der Kirchhof ein Garten geworden.

Und die Gräber? fragte Erasmus.

Die sind mit Boskets bedeckt.

Dann wird der Anblick der Gräber, fuhr Gabelstich fort, auf denen ich einmal mit Jemand gesessen habe in Trauer und Liebe, Niemand mehr incommodiren. Die Gräber reden mitunter, Marie. Aber trinken Sie doch, mundet Ihnen der Champagner nicht?

Doch! sagte Marie mit bebender Stimme. Sind Sie wohl gewesen, seit Sie nicht in Lillerode waren? Sie klagten damals sehr über Ihre Brust.

O mit meiner Brust, erwiederte Erasmus, gehts wieder recht munter. Sie ist zwar alt, und hat Manches erlitten. Sie ist eine verfallene Kapelle, die einst eine Heilige gebaut hat. Aber jetzt wird darin manchmal getanzt, und Kirmes gehalten. Der klapperbeinige Gram tanzt darin mit der Freude den Trauerwalzer, und um Mitternacht in der Geisterstunde läutet's darin. Es sind weinende Engel, die Allerhand zu Grabe läuten. Aber todt ist todt, und hin ist hin! Hören Sie nur diesen köstlichen Walzer. Er lautet so wunderbar lustig, und ich möchte singen dazu den Vers, den Sie mir einmal in mein Stammbuch schrieben, Marie. Ich habe den Walzer recht lieb, so lieb wie — ach ich wollte es wäre nichts geschehen. Aber trinken Sie doch Fräulein.

Marie trank. Ein heißer salziger Tropfen fiel in ihr Champagnerglas.

Weinen Sie nicht, Marie. Mäßigen Sie sich. Hören Sie, wie die Töne Alles plaudern, und den Leuten die ganze unangenehme Geschichte erzählen? Weinen Sie nicht, mein Fräulein! Es ist ja ein lustiger Walzer, wenn er auch langsam geht, langsam, wie ein siechendes gramvolles Leben— langsam und doch so schön. — —

Marie stand auf, und wankte mit ihrer Mutter, Müdigkeit vorschützend, mit dem Taschentuche zur Thür hinaus.

Erasmus, rief ich, was hast du gemacht!

Hoch!!! riefen die Burschen, da Alexander den Toast: was wir lieben! ausgebracht hatte. Wir stießen die klingenden Gläser an, auch er mit dem zermalmten Herzen. Sein Glas zerbrach. Laut stimmt' er in den Toast ein, trank aus den Scherben, und warf sie nach dem Ofen, wo sie mit einem wehmüthigen Klange zersplittterten. —

Und hiermit schließ' ich, denn ich habe mich, da ich das frühere Kapitel nicht wieder durchlas, ehr ich ein folgendes schrieb, endlich so hineingeschrieben, daß ich jetzt gar nicht weiß, wo ich bin. Ich wollte anfangs eigentlich ganz andere Dinge erzählen, und hätt' es auch gethan, wenn mich einestheils nicht der Probator gestört, anderntheils meine eigene Plauderlust nicht verführt hätte. Auch ärgerts mich, daß ich oben bei einem dummen Zanke mit dem Recensenten, zu dem eigentlich kein Grund vorlag, in der Hitze gesagt habe:

ich wollte nun die Geschichte von der einsamen Harfe nicht erzählen, und Gabelstich ist mir auch so in die Feder gekommen, ich weiß nicht wie. Endlich schäm' ich mich, daß ich den Leser über die Bedeutung des Titels so gänzlich im Ungewissen gelassen habe. Nun ist's zu spät, denn nachdem ich so aus dem Hundertsten in's Tausendste geredet habe, paßt der Titel dieses Buches auf den Inhalt, wie die Faust auf's Auge, nemlich gar nicht. Schweigen wir also hierüber. Die Geschichte von der kleinen Marie sollte auch noch kommen. Aber setzt mir nicht der Setzer auf der Ferse nach, und hat er mich nicht bereits eingeholt? so, daß an einen kleinen Vorsprung nicht mehr zu denken ist? In einem purpurnen läutenden Sommerabend sollte dieses Buch ausklingen. Aber regnets nicht seit acht Tagen an jedem Abend? So indessen der Leser will, schreib' ich noch einen Band, in welchem ich vernünftiger zu sein, und Alles wieder gut zu machen hoffe.

Lebet wohl, die ihr meiner Plauderei ein freundliches Herz geliehen habt! Lebe wohl, mein Büchlein! Trage deine Lieder froh und unbekümmert in die Welt hinein, und grüße mir alle guten Menschen. Siehe, die Sonne ist im Aufgang begriffen, und scheint auf deine Blätter. Klinge, wie die Memnonssäule! Töne mir noch einmal, nenne mir, ehe du von mir wegziehst in die große kalte Welt, noch einmal den süßesten Namen!

Henriette.

Henriette, ich liebe dich, und du bist schön, wie die Sonne im Aufgang!

Druck und Papier der Estienneschen Buchdruckerei.